La sima
¿Qué fue de la familia Sagardía?

Jose Mari Esparza Zabalegi

LA SIMA
¿QUÉ FUE DE LA FAMILIA SAGARDÍA?

PRIMERA EDICIÓN DE TXALAPARTA
Abril de 2015
CUARTA EDICIÓN DE TXALAPARTA
Enero de 2018

EDITORIAL TXALAPARTA S.L.L.
San Isidro 35-1A
31300 Tafalla NAFARROA
Tfno. 948 703 934
txalaparta@txalaparta.com
www.txalaparta.eus

ISBN
978-84-16350-17-9
DEPÓSITO LEGAL
NA. 697-2015

DISEÑO DE COLECCIÓN Y CUBIERTA
Esteban Montorio

MAQUETACIÓN: Monti

IMPRESIÓN
Gráficas Iratxe
Polígono Agustinos, calle M, 5
31160 Orkoien - Navarra

LLEGAR HASTA EL FONDO

YA SABEMOS QUE LOS CRÍMENES SE OCULTAN y además también se encubren. Llegado el caso, los pozos y simas son un lugar frecuente para ocultar las pruebas de un crimen. Arrojar cadáveres en ellos, bajo la idea de que nunca van a ser encontrados, ha debido formar parte de una creencia sostenida a lo largo de mucho tiempo.

Y lo cierto es que las creencias siempre tienen una razón de origen y seguramente un fondo de verdad, como los mismos pozos.

¿De dónde viene la creencia de que en el interior de la cavernas habitan toros de color rojo? ¿Por qué rojos? Seguramente en el origen debe existir alguna razón que nos resulta ahora imposible descifrar.

Así, entre mitos, leyendas, creencias e historias, se conserva una que resulta preocupante a la vista del estudio documental del caso. De hecho, los humanos aceptamos que las pruebas se construyen desde la vertiente testifical, documental y pericial, como en su momento alguien lo intentó cuando supo que una familia entera había desaparecido en Gaztelu.

Una familia desaparecida, una txabola incendiada, una sima cercana... Todo parece apuntar a un crimen de proporciones poco frecuentes en la larga historia de los pueblos de los Pirineos.

En efecto, eran tiempos de guerra y de postguerra. De confusión, de miedos y de abusos, cuando se iniciaba una investigación oficial sobre unos hechos que no pudieron ser demostrados completamente.

Y desde entonces, la historia y la creencia permanecían como dormidas entre las gentes del valle y de la montaña.

Por este motivo, reactivada como consecuencia del hallazgo reciente de otro cadáver en la misma sima, era hora de realizar un acercamiento a la primitiva historia. La primera, tan enigmática como la segunda.

Un planteamiento que también puede servir para el diseño de un guion cinematográfico o que al menos trata de completar, también en parte, un escenario del que no sabemos casi nada a pesar de que muchos expertos en historia contemporánea digan que de la Guerra Civil ya está todo dicho.

Bajar al fondo del pozo impresiona por sus características, pero imaginar el momento en el que fueron arrojadas al mismo una mujer y sus seis hijos me resulta casi imposible.

En el fondo, también de pozo, hay una historia no aclarada. Así, cuando nos planteamos la necesidad de dignificar a quienes lo perdieron todo en la guerra, que cada uno piense en lo que le toca y actúe en consecuencia, porque ante las vulneraciones de los derechos humanos no podemos ser neutrales. Nos toca hacer algo y llegar hasta el fondo.

FRANCISCO ETXEBERRIA
Profesor de Medicina Forense

Gazteluko herriari, bihotzez

DEL TABÚ AL SUMARIO 167

EN EL AÑO 1986, EN DOS GRUESOS VOLÚMENES, Altaffaylla editó *Navarra 1936. De la Esperanza al Terror*, un clásico de la historiografía navarra. Pueblo a pueblo, destilamos la sangría sufrida tras el golpe militar y dedicamos apenas un folio, uno solo, al crimen más estremecedor de todos: la desaparición forzosa de una madre con sus seis hijos menores –y otro de siete meses en su seno, según supimos luego– en la aldea de Gaztelu, municipio de Donamaria, comarca de Malerreka en la Navarra septentrional. Arrojados a una sima, según rumor popular. Era, cómo dudarlo, una secuela más del golpe militar y de la posterior locura colectiva desatada, pero no parecía haber una justificación, o digamos explicación, política. Y lo más sorprendente era que, al revés de lo ocurrido en el resto del territorio, no había nadie, ni familiar, ni vecino, ni historiador, interesado en el tema. Nadie sabía nada, nadie quería hablar, ni a nadie parecían importarle siete muertes más o menos, en el holocausto de la retaguardia navarra.

Siguiendo los pasos preliminares que había dado José María Jimeno Jurío, tan solo pudimos hilvanar cuatro retazos de los registros municipales: en 1919, el casamiento de Pedro Antonio Sagardía Agesta y Juana Josefa

Goñi Sagardía, que tuvieron ocho hijos: los dos primeros, José Martín y Joaquín, en Donamaria, y los otros seis, Francisco Javier, Antonio, Pedro Julián, Martina, José María y Asunción, en Gaztelu, donde tenían fijado su domicilio. Los primeros días de la guerra desapareció la madre con seis hijos. Erróneamente, en el libro pusimos siete hijos, pero Francisco Javier había fallecido antes, de niño. Años más tarde se perdía el rastro del marido y del hermano mayor. Al parecer, se había abierto un sumario que no hallamos. Poco más pudimos obtener en el tiempo limitado que dedicamos a escribir aquel libro. Un folio.

Pasaron los años y siempre pensé en retomar la historia. Cada vez que conocía a alguien de la comarca, le preguntaba y la respuesta era la misma: «¿La sima? Nadie cuenta nada. Es tema tabú».

Aparte del libro de Altaffaylla, apenas hay referencias. Si uno entra en Internet verá una parca definición del pueblo: «Gaztelu es una localidad española (sic) de la Comunidad Foral de Navarra perteneciente al Municipio de Donamaria. Está situada en la Merindad de Pamplona, a 54 km. de la capital de la comunidad, Pamplona, y a una altitud de 220 m. Su población en 2013 ascendía a 113 habitantes. Tiene una iglesia parroquial de 1772, dedicada a Santo Domingo de Guzmán, con un retablo barroco y una Inmaculada Concepción que procede de otro lugar. En el lado izquierdo del presbiterio, hay una pintura sobre lienzo de la Adoración de los pastores del siglo XVIII, muy interesante». A continuación, resume lo que publicamos en *Navarra 1936. De la Esperanza al Terror*, y termina con la misma cantinela: «el episodio fue olvidado, convirtiéndose en tabú».

Incluso consulté mapas y cartografía actual, y la relación de simas conocidas en Navarra no decía nada de una llamada Legarrea, o Zuloandi, en el término de Gaztelu. Hasta de los mapas había desaparecido.

Esto hacía que quedara latente una curiosidad casi morbosa, como de algo importante y misterioso que no habíamos podido, o sabido, concluir. Por premura seguro, por reparos tal vez. Sacamos a la luz los pormenores de la ejecución de más de 3.000 navarros y navarras, y habíamos dejado sin resolver una de las desapariciones más dramáticas. Cada vez que andaba por el monte y hallaba una sima, pensaba en la de Gaztelu. Algunas veces imaginaba a Juana Josefa y su prole, errante por ese entrevero del mundo de los muertos y de los vivos, que son las cuevas. Sí, alguna vez había que retomar lo que dejamos inconcluso en 1986.

Aparece el sumario

Pasaron 23 años. Un día de primavera del 2009, me dirigí al archivo de los Juzgados de Pamplona a mirar unos legajos sobre la guerra civil. Allí me encontré con Iñaki Montoya, archivero euskaldun y muy interesado en las cosas del país. Me inspiró confianza y le hablé de los Sagardía. Tenía que existir algún expediente que no encontramos en los años 80, o que nos impidieron encontrar. Nada hallamos, ni de muertes ni de desapariciones, en aquellos lugares y fechas. Pero Iñaki, inquieto profesional, estuvo indagando y finalmente recibí una llamada suya. Había encontrado un legajo con un título en el que difícilmente hubiéramos reparado si no llega a ser por su pericia: *«Juzgado de 1ª Instancia e Instrucción nº 1. Causa 167. Pueblo Gaztelu. Por Incendio y coacciones. Contra: Melchor Alzugaray y Gamio y 10 más»*.

Era el documento completo, tanto tiempo buscado. Ahora había que conseguir las autorizaciones pertinentes para consultarlo.

El 1 de agosto de 2009, en nombre del grupo cultural Altaffaylla, nos dirigimos al Presidente del Tribunal Superior de Justicia de Navarra, Juan Manuel Fernández, explicándole que llevábamos décadas publicando sobre temas de historia contemporánea y que solicitábamos permiso para consultar los «Expedientes de Defunción fuera de plazo». Y en concreto, el sumario 167.

De manera consciente, hicimos la petición de forma ambigua. Recordábamos bien las visitas a los ayuntamientos en los primeros años de aperturismo político, cuando para consultar las actas de 1936 pedíamos primero los libros del siglo XIX, y luego los siguientes, hasta llegar a los años calientes que buscábamos y que, probablemente, recelosos alcaldes y funcionarios franquistas no nos hubieran dejado consultar de solicitarlos directamente.

Pero no cuajó. El 4 de septiembre, el presidente nos respondió que «a la vista de la amplitud y poca concreción de su petición, les ruego indiquen a qué años y personas se refiere el primer apartado de su petición; sobre qué versa el Sumario que hace referencia en el segundo, y qué Juzgado lo instruyó».

Así que no había razón para seguir disimulando y en la segunda petición lo concretábamos: «Sumario 167 de 1937, del Juzgado de Primera Instancia de Instrucción nº 1, que derivó en la desaparición de la familia Goñi Sagardía».

Tuvimos suerte: el 6 de octubre nos llegó la autorización. Era lógico: habían pasado 72 años de los hechos, y la presión de los grupos por la memoria histórica iba abriendo puertas. Por fin, conseguimos consultar un legajo que llevaba décadas sin abrirse.

La lectura del mismo fue todavía más espeluznante que todos los rumores escuchados hasta entonces. Efectivamente, no se desprendía móvil político aparente, algo que al menos sería «comprensible» en aquellas fechas aciagas. Por lo tanto, no se llegaba a entender cómo pudo ocurrir aquello en el corazón de la Navarra euskaldun, donde todas las estadísticas a lo largo de la Historia dan una imagen idílica del carácter tranquilo y respetuoso de sus gentes, a quienes se solía comparar con su extremo opuesto, los navarros de la Ribera, «pendencieros, vinosos y más dados a toda clase de quimeras». El conspicuo Arturo Campión, en *El genio de Navarra*, citó un informe especial de la Exposición Universal de París de 1867, que afirmaba que «los delitos son muy raros en el país éuskaro. Los frutos pueden permanecer en los campos y los ganados pasar en estos la noche, sin otra guarda que la del séptimo mandamiento de la ley de Dios». Y el sociólogo Frédéric Le Play, autor del informe, lo testificaba: «no he encontrado, ni en Europa ni en Asia, ninguna raza en la que la paz social reine en más alto grado que entre los vascos». Campión remarcaba la enorme diferencia de criminalidad y robos en la zona de habla vasca –salvo los delitos de contrabando que tienen otro carácter– y en la zona castellanizada de Navarra: «la desproporción entre la criminalidad de ambas regiones, sobre todo en los delitos de sangre, es realmente enorme». A partir de 1936, el diferente grado de cainismo entre esas dos navarras corroboró totalmente el enunciado de Campión. ¿Cómo explicar entonces lo ocurrido, o que dicen que ocurrió, en Gaztelu, una pequeña comunidad en el corazón de Euskal Herria?

Comencé a dudar sobre la conveniencia de publicar el sumario 167. ¿A quién interesaba el tema? Ningún familiar, lejano siquiera, de los Sagardía, ni de los Goñi, había solicitado la aclaración de los hechos, al amparo de las nuevas posibilidades que daba la reciente ley sobre la memoria histórica. Si algo parecía meritorio, era el silencio guardado por las tres generaciones de gazteluarras posteriores a los hechos. ¿Para qué entonces destapar nada y alterar una pequeña aldea que nada tiene que ver con lo que hicieron, o dejaron de hacer, sus antiguos pobladores?

Además, salvas sean las distancias, ya habíamos mantenido un criterio similar anteriormente: cuando preparábamos la redacción del *Navarra 1936. De la Esperanza al Terror,* había entre los colaboradores de los pueblos y los deudos de las víctimas, un especial interés en publicar las listas completas de los implicados en las matanzas. Y claro, en la mayoría de los casos no teníamos otra prueba que el testimonio del que nos decía: «Fulano mató a mi padre» o «Mengano se lo llevó», afirmaciones que al final resultaron ciertas. En algunos pueblos, las listas de matones eran extensas y no había manera de discernir entre las diferentes responsabilidades: no era lo mismo un requeté o falangista del pueblo, que participaba en redadas o rondas, quién sabe bajo qué convicciones o miedos, que los que realmente ejecutaban o, peor aún, elaboraban las listas de los fusilados. Estábamos convencidos de que, tras editar el libro, no íbamos a salir de pleitos con las poderosas familias aludidas, herederas de los matones del 36, a los que señalábamos directamente como asesinos. Pero a eso no le teníamos miedo. Más que las persecuciones judiciales, lo que nos preocupaba era incluir a muchos dudosos o segundones en la represión, y dejar una mancha en muchas familias navarras que, 50 años después, no se lo merecían.

Optamos finalmente por una solución salomónica: solicitamos a todos los colaboradores de los pueblos –que en algunos lugares eran casi asambleas populares– elaborar la lista con orden de mayor a menor responsabilidad, encabezándola con los responsables de la Junta local de

Guerra, elaboradores de las listas, caciques interesados, mandos militares, matones con vara alta, etc. Al final, iban los tibios, los pusilánimes, los que pasaban por allá, los chivatos de poca monta. Una vez elaborada la lista, optamos por publicar la parte de arriba. Y en el libro señalamos con nombres y apellidos a lo más canalla –más de 200, no son pocos– y «perdonamos» al resto, otorgándoles la gracia del olvido. Nadie se atrevió a presentar querella alguna. De sobra sabían que decíamos la verdad.

Lo ocurrido en Gaztelu era algo diferente, pero ¿cómo descubrirlo evitando el morbo, sin dejar malherido un pequeño pueblo en el que no queda nadie que participara en los hechos? ¿Y qué hechos imputar? ¿Y a quién?

Ez da munduan gauzik, denborak ez daramanik, dicen por aquellos valles. Cierto, el tiempo todo se lo lleva. Podíamos seguir esperando, hasta que los apellidos se mixturaran y se olvidaran. Pero también es cierto que lo mal enterrado vuelve una y otra vez a la superficie; a recordarnos que todo lo que se inicia necesita un punto final. Y cuando ha habido víctimas y tragedia, se precisa una mínima liturgia, un réquiem, unas flores o un leve poema, que nos reconcilie con el pasado y limpie las telarañas de las conciencias, antes de seguir caminando.

Entre arrostrar o no el tema, y la falta de tiempo otra vez, opté por dejarlo pasar. Además el libro debería ser escrito en euskera, lengua vehicular de toda la historia, y yo no me sentía capaz de hacerlo bien. Pero sentía que los Sagardía me iban cercando. De nuevo di algunas voces por la zona buscando interesados, con la esperanza de que algún grupo de jóvenes, nietos a poder ser de los protagonistas, recogiera los materiales que gustosamente cedería y asumiera la tarea de publicarlos y exorcizar ellos mismos la maldición que pesaba sobre su memoria colectiva. En todos los intentos fracasé. El tabú seguía vivo.

La sima vuelve a la actualidad

Pasaron cinco años más, y nuevos datos me alertaban de que no podía seguir postergando mi particular «bajada» a la sima. El sumario descubierto estaba ahora perfectamente localizable en el Archivo de Navarra y, de hecho, ya había sido consultado por diversos curiosos. Algunas asociaciones de la memoria histórica andaban interesadas en desentrañar el secreto de Legarrea, tan celosamente guardado. Se hablaba sobre un futuro documental.

En 2011 Miguel Sánchez-Ostiz había editado *Zarabanda*, novela en la que, en un lugar y tiempo imaginario, hilvanaba con su fértil imaginación los rumores populares, que van a ser también uno de los ingredientes de este libro. Miguel incluso le cede a Shakespeare el inicio del suyo: «Abrid los oídos, porque ¿quién de vosotros cuando habla el bullicioso Rumor, podrá impedir que se divulguen sus palabras?».[1]

En la revista *Munibe*, correspondiente al 2014 y editada por la Sociedad de Ciencias Aranzadi, dedicaron un capítulo a «Simas, cavernas y pozos para ocultar cadáveres en la guerra civil española (1936-1939)».[2] En el mismo se localizaba perfectamente la sima de Gaztelu y la existencia de la causa 167. Así pues, lugar y sumario eran ya algo público, al alcance de cualquiera. La sima aparecía como referenciada en el *Catálogo Espeleológico* de Navarra e indicaba unas coordenadas geográficas.[3] El tabú se acababa y todo parecía indicar que el tema iba a saltar a la prensa sensacionalista.

El 22 de diciembre de 2014, unos espeleólogos navarros del grupo Satorrak bajaron a la sima Legarrea, que en su argot llaman, con un simplismo elocuente, «la de la familia». Intentaban adelantar algo la inspección que iba a realizar la sociedad Aranzadi, a petición de una asociación memorialista. La bajada fue complicada, incluso para expertos como ellos. Abajo encontraron un cadáver descompuesto, vestido con ropas modernas. No era lo que esperaban, así que interrumpieron la exploración y avisaron a Aranzadi.

La asociación esperó el regreso de Chile del médico forense Francisco *Paco* Etxeberria, y gestionó con el juez de Pamplona para que dejase el asunto en manos de la Policía Foral en lugar de la Guardia Civil, por dos razones: hacía mucho mejor los informes y, obviamente, trabajaban más a gusto con ellos. Además, inicialmente se pensó que el cadáver podría ser el de Jose Miguel Etxeberria *Naparra*, refugiado político vasco desaparecido sin dejar rastro en 1980.

El día 26 se dieron cita en la boca de la sima los miembros de Aranzadi; el médico forense Paco Etxeberria; responsables del Instituto de Medicina Legal de Navarra; el presidente de Euskal Memoria, Iñaki Egaña; los espeleólogos de Satorrak y un desmesurado número de policías, incluso antidisturbios, ya que alguien había advertido, exageradamente, que podría haber altercados en el pueblo. No los hubo, pero la alarma indicaba que la memoria seguía candente.

Hubo una discusión sobre quiénes debían bajar a la sima. Paco Etxeberria accedió a hacerlo con un experto espeleólogo de su confianza, Asier Izaguirre. El resto fueron policías forales, cinco en total. Estuvieron más de tres horas dentro de la sima. Tres horas, cinco hombres, y repitieron varias veces la bajada en días posteriores. Retengamos este dato para más adelante.

Según los que la conocen, la cueva no es del todo vertical: inicialmente tiene una acusada pendiente y en la segunda mitad una caída libre hasta una especie de montículo, que destaca del fondo unos tres metros, ocasionado por décadas de vertidos y derrubios. A casi 50 metros de la superficie, la sala del fondo tiene unos 25 metros cuadrados, con cantidad de basura, hasta frigoríficos, y montones de lana, sin duda de los años en los que bajó tanto su precio que era un problema deshacerse de ella. La sima, ¿tumba o vertedero?

Subieron los restos en tres mochilas. Entre ellos, unos zapatos del 46, de un varón de casi 1,90 de altura. Los mismos policías forales hicieron sus quinielas: «Si es el chaval de Legasa seguro que lo ha tirado su...». Especulaciones sobre el cainismo, al pie de la sima. Efectivamente, pronto se supo que los restos mortales correspondían a Iñaki Indart Ariztegi, joven de Legasa desaparecido siete años antes, cuando tenía 24 años. Guardaba una denuncia de tráfico de la Policía Foral en el bolsillo. El 9 de marzo de 2008, Indart no compareció en una mesa electoral de la que era vocal suplente. Luego, en un control de alcoholemia, los policías forales le habían inmovilizado el vehículo y lo trasladaron en un coche patrulla hasta su casa, lugar donde se perdía su rastro. Su búsqueda por parte de los vecinos, Guardia Civil, Policía Foral y bomberos, se suspendió días después al no obtener resultados.

—¡Bah! Nos tuvieron tres días mirando todos los montes del entorno, menos donde realmente estaba. ¡Hasta en Tenerife lo buscaron! –nos dijo un vecino incrédulo. Y es que a los que desaparecen en Legarrea se les ve luego en otros lugares, como veremos.

El joven era muy conocido en Legasa y comarcas de Bertizarana y Malerreka, y ya había sido noticia dos años antes, cuando denunció haber sido víctima de un secuestro, tras permanecer en paradero desconocido durante un par de días. El mozo dijo que al menos dos hombres le amordazaron de pies y manos, y le introdujeron sedado en su propio vehículo, siendo a continuación despeñado por un barranco. Horas después pudo salir y pedir ayuda, tras pasar dos días desorientado en el monte.

Esta extraña historia no desentonaba de la del resto de la familia: su padre, y sobre todo el hermano de este, ya fallecido, además de laureados ganaderos tenían cobrada fama de ser los grandes contrabandistas de la comarca, con unos niveles de tráfico y enriquecimiento que nada tenían que ver con el contrabando tradicional. La idea de abrir en Legasa un museo particular, con las cabezas de caza mayor obtenidas en safaris por estos aldeanos medrados, parece una caricatura local del Xanadú de *Ciudadano Kane*. Militares españoles y policías eran visitantes asiduos de *Falcon Crest*, como llaman algunos a la elegante área residencial de los hermanos, sita entre Legasa y Gaztelu. De hecho, Ignacio Indart aparecía en los libros del periodista Pepe Rei como ligado a la Red Galindo, del entonces coronel de la Guardia Civil, para quien tras ser condenado por el secuestro, tortura y asesinato de los jóvenes Lasa y Zabala, el delito de contrabando era *peccata minuta*.[4]

Los rumores del entorno no ofrecían ninguna duda: el joven Indart había sido arrojado. La sima de nuevo, foco de impunidad. A la hora de redactar esto, el sumario continuaba bajo secreto.

El *zulo* de Legarrea seguía abierto. Los espíritus que moran en sus entrañas, o en su leyenda, volvían a salir y se paseaban entre nosotros, exigiendo explicaciones. Los medios de comunicación merodeaban, a la caza de noticias sórdidas; el vaciado del fondo parecía inminente. Ya no podía demorarme más. Seguía dudando, pero cogí mis cosas y salí para Gaztelu.

Donamaria y Gaztelu

En la parte de Navarra que dona sus aguas al Cantábrico, hay un valle que los documentos antiguos llaman en romance Santesteban de Lerín y los geógrafos denominan Alto Bidasoa. En su lengua, los nativos siempre lo llamaron Malerreka. Lo forman trece pequeños municipios, cada uno con un núcleo urbano rodeado de barrios y caseríos. Uno de ellos se independizó de Santesteban en 1845, con la suma de dos pueblos, Donamaria y Gaztelu, cada cual con su propia parroquia y personalidad. El pueblo más grande se llevó la denominación del municipio, algo que nunca admitieron los de Gaztelu que siempre se consideraron, y se consideran, pueblo y no barrio. Cruza el territorio una regata que baja de Txaruta, que la engrosa por la derecha la de Epeloaldea. Bosques de haya en las alturas, roble después, castaño y fresno en las partes más bajas. Pinos de repoblación. Ganado, forrajes y cultivos agrícolas. Vida típica del caserío vasco. Casas señoriales y algunas blasonadas; destaca entre todas la casa palacio *Jauregia*. El doble municipio entró en el siglo XX con 623 habitantes, cifra que mantuvo hasta mediados del mismo siglo.

De su prehistoria ha quedado el dolmen de Etekogaina y de su historia se suele citar como relevante lo más tenebroso: las consecuencias que en este lugar tuvo el proceso de las brujas de Zugarramurdi, en 1610. El abad de Urdax, monaguillo de los funcionarios de la Inquisición española que se desplazaron desde Logroño a limpiar la zona, hizo confesar a varios niños, a saber con qué mañas, «quedando por ello muy acusado Miguelcho de Micheltorena», así como dos ancianas, Magdalen Moxa y la de casa *Enecorena* de Gaztelu. De las 119 personas que testificaron, 50 confesaron conocer la existencia de un akelarre en el lugar.[5] Fácil es imaginar las penurias de los condenados en las celdas logroñesas de la Inquisición.

Poco más dicen los libros de historia: a inicios de 1795 los soldados de la Convención francesa acamparon en Donamaria y Gaztelu, desde donde dominaban hacia el sur el valle Ultzama. Y en cumplimiento de la Ley de Desamortización de 1855, tuvieron que vender el molino harinero y la tejería comunal. En las guerras carlistas, fueron carlistas, a lo Iparraguirre, «por amor a sus paisanos». No podían ser otra cosa.

Los resultados electorales durante la Restauración borbónica indican el apego tradicionalista del lugar: en la elección a diputados en Cortes de 1891, los republicanos no se llevaron un solo voto, pese a la cercanía y al trasiego con la vecina República Francesa. Y lo mismo ocurrirá en todas las elecciones posteriores. Tan solo en 1911, el republicano navarro Basilio Lacort consiguió un voto. Uno solo. ¿Sería de Donamaria o de Gaztelu? Otra excepción, en 1919 el peneuvista Manuel Aranzadi consiguió 22 votos, frente a los 112 de jaimistas y mellistas. Así, carlistas y conservadores de todo pelaje siguieron ganando por goleada las elecciones, hasta la llegada de la Segunda República.

A kilómetro y medio de Donamaria, en la falda meridional del monte Arregi, se encuentra el poblado de Gaztelu. En las primeras décadas del siglo XX tenía apenas 16 casas centenarias, unidas por un camino que forma una especie de cuadro, –«lo más parecido a la aldea gala de Astérix», me dijo uno– en cuya esquina norte se encuentra la iglesia parroquial, dedicada a Santo Domingo de Guzmán, patrono del lugar; en otra esquina, hacia la derecha, el *Ostatu,* y en las dos siguientes esquinas *Lopetenea* y *Mitxeoenea.* Y rellenando el cuadro, *Larretoa, Kapainea,*

Bidauztea, Apezetxea, Arretxea, Harritxuria, Argingaraia, Argiñazpia, Etxetxikia, Gamioa, Enekenea, Gaxtelenea, Txenpernea y *Sastrenea.* Por el monte, seis caseríos diseminados completaban la población, que frisaba las 130 almas. Lejos de los centros urbanos, apartada de todo camino real, la misma fotografía podría haberse repetido siglos atrás.

Aunque unido a Donamaria, Gaztelu presumía de la independencia de su *batzarre* local, con su *Herriko Etxea* y su cárcel en el mismo *Ostatu.* En invierno mataban los cerdos y estabulaban el ganado; en primavera preparaban la tierra y plantaban el maíz; en verano cortaban las yerbas; en otoño recogían las castañas y comenzaba de nuevo el ciclo de labores, que parecían ser las mismas desde el día de la Creación. Solo dos novedades habían contribuido a mejorar las economías: una era el contrabando, desde que fuera trasladada la frontera del Ebro a la raya de Francia, tras el hachazo a los Fueros que supuso la ley de 1841. Bastaba cruzar el monte Oteixo y, por Otsondo, la muga estaba a pocas horas. Toda la población se beneficiaba del mismo. La otra fuente de ingresos era la incesante emigración a América, que había permitido levantar algunas casas con dineros indianos y traer algunos adelantos, como el flamante lavadero del pueblo, construido en 1888 gracias a los dineros aportados para tal fin por 16 gazteluarras residentes en la isla de Cuba, y cuyos nombres, apellidos y pesetas, constan en un panel, para honrarlos según unos, y para dejar constancia de los que no aportaron nada, según otros.

Pasada la misa del Año Nuevo, el segundo día de 1919 la campana parroquial de Gaztelu tocaba a boda. En el retablo, Santo Domingo presidía el acto, ayudado a su izquierda por San Ramón Nonato, patrono de las preñadas, de gran devoción entre las mujeres de Gaztelu y otros lugares, que acudían a ponerle velas para que protegiera sus partos. Ante el cura don José María Iraizoz, contrajeron matrimonio «Pedro Antonio, de 25 años, natural de Oiz e hijo de Martín José Sagardía y Francisca Agesta, y Juana Josefa, de 24 años, vecina de Gaztelu, hija de Juan José Goñi y de Andresa Sagardía».[6] Sin embargo, al cotejo con sus partidas de nacimiento, Pedro Antonio tenía 28 años y Juana Josefa todavía no había cumplido los 22.[7] ¿Por qué esta se añadió tres años y mantendrá ese error con posterioridad en censos y papeleos? Quizás la explicación sea que Juana Josefa no tenía todavía la edad legal, para poder casarse sin el permiso del padre. Además, a ninguno de los presentes le pasó desapercibida la sugerente panza de la novia. Estaba claro que no siempre las prédicas del padre José María, apelando a la proverbial castidad del Santo Patrono, conseguían refrenar las tentaciones. Y al cabo, el sagrado sacramento del matrimonio siempre perdonó esos deslices juveniles. Así que, al poco de la boda, Juana Josefa acudió a colocar su vela a San Ramón.

A Juana Josefa no le habían faltado otros pretendientes. Era muy guapa y se sabía que el tratante de ganado, Luis Francés, bebía los vientos por ella, antes y después de casarse. Por lo que fuera, ella eligió a *Sagardi*, al que también recuerdan apuesto y de gallardo talle. Y no comenzaron la familia a manos vacías: aunque no tenían casa propia, Pedro había traído una dote y ella un buen ajuar, metido en un gran baúl, recuerda Asun, lleno de sábanas y mantelerías con puntillas.[8]

Otro dato que debemos destacar es que Juana Josefa había nacido allí mismo, en la casa *Gontxia* (Goñi *etxea*) de Donamaria. Sus padres y abuelos eran todos de Ituren y de Donamaria. *Euskaldunak*. No era «una andaluza guapa», como todavía se oye decir en las romerías a Santa Leocadia, el 8 de septiembre. Y tampoco eran *ijitoak* (gitanos) como otras voces maliciosas sembraron, y se sigue escuchando, en los pueblos de la comarca, como si el hecho de serlo justificara algo.

Tres meses y once días más tarde nacía el primer hijo, para que no les cupiera duda alguna a las comadres y compadres, que llevaban esas contabilidades en la contaduría del lavadero o en la barra del *Ostatu*. El acta de nacimiento de José Martín tiene adjunta una nota más reciente, escrita a bolígrafo: «Falleció en Pamplona el día 14.IV.2007».[9] Es decir, vivió 88 años y dos días. Me alegré al descubrir la larga vida del mayor de los Sagardía Goñi, y me apenó no haberme decidido ir a buscarle unos años antes. Él hubiera mejorado este libro.

Al año siguiente nació Joaquín, y Juana Josefa continuó pariendo hasta ocho criaturas, de las cuales una, Francisco Javier, falleció a los 8 años de meningitis, algo muy común en aquel tiempo a pesar de las velas a San Ramón. De los otros seis hijos no hay acta de su fallecimiento. No iban a tener esa suerte.[10]

La República se asoma

Al contrario que en otros pueblos navarros más meridionales, el sonoro 14 de abril de 1931 no llegó a los vecinos de Donamaria y Gaztelu entre vítores, algarabías, ni altisonantes acuerdos municipales. Como en todos los pueblos de alrededor, el 22 de abril de 1931 se constituyó el nuevo Ayuntamiento «republicano», por el artículo 29, presidido por Gracián Albistur. Se lo tomaron con tanta cachaza que hasta el 22 de enero de 1933 no levantaron acta de ninguna otra sesión. Casi dos años de silencio absoluto.[11]

La referencia republicana de la comarca radicaba en Doneztebe, donde nombraron alcalde a Emilio Azarola, tafallés trasplantado y militante del Partido Republicano Radical Socialista, formación que en aquellos días parecía que se tomaba muy en serio su nombre, hasta que fue basculando hacia el sol que más calentaba. Que el principal ayuntamiento de Malerreka manifestara su republicanismo y laicismo, y que incluso contara con una minoría socialista, no era moco de pavo en ese momento y lugar.

En junio se celebraron las primeras elecciones a diputados a Cortes, y Donamaria-Gaztelu dejó clara su querencia: la agrupación católico-fuerista que encabezaba Joaquín Beúnza cosechó 108 votos, frente a 3 votos, de los republicano-socialistas encabezados por Mariano Ansó y el propio alcalde de Doneztebe, Emilio Azarola. Nunca jamás el republicanismo había obtenido tan excelentes resultados en el pueblo: tres votos.

En diciembre, los mayores contribuyentes por inmuebles, cultivos y ganadería, eligieron compromisarios. Vemos entre ellos a los vecinos de Gaztelu, Bautista Oteiza, José Azcona y Pedro Lazcano.[12] Este mismo mes se renovó el censo electoral, en el que por vez primera aparecían las mujeres con derecho a voto, uno de los primeros logros republicanos. Eran en total 326 electores y electoras, mayores de 22 años. De ellos, la mitad reconocía no saber leer y escribir, dato que coincidía más o menos con los que no sabían hablar castellano. No tenían la culpa de haber nacido vascos. Pedro Sagardía, labrador de 41 años, que vivía en la calle Santo Domingo 11, sí sabía escribir, igual que su esposa Juana Josefa. Es importante retener el dato, pues indica cierto nivel de escolarización y, por ende, de estatus social.[13]

En mayo de 1933, Francisco Mariñelarena ocupó la alcaldía y representando a Gaztelu entraron dos concejales que tendrán un protagonismo especial en esta historia: Melchor Alzugaray Gamio, de casa *Bidauztea*, y José María Sarratea Arregui, de *Larretoa*. Solo participaron 63 de los 326 vecinos y vecinas con derecho a voto. La leña y los helechales eran el asunto más tratado en las sesiones, que se celebraban cada tres meses. El reloj parecía seguir parado en Gaztelu, en medio de la trepidante República.[14]

En cuanto al tema autonómico, tampoco vemos debate alguno en las actas del Ayuntamiento. Los concejales de Donamaria y Gaztelu, siguiendo las directrices del tradicionalismo navarro y apoyados por la minoría nacionalista, habían votado en las asambleas anteriores a favor del Estatuto Vasco o Vasconavarro. En la asamblea definitiva del 19 de junio de 1932, cambiaron el voto. Parece absurdo que pueblos euskaldunes como Arruazu, Arakil, Basaburua, Imotz, Doneztebe o Donamaria-Gaztelu, votaran en contra de la unidad política vasca, mientras que Buñuel, Cárcar, Carcastillo, Falces, Milagro, Murillo, Santacara, Olite, Pitillas o Tafalla, lo hicieran a favor. Quizás, en el caso de Malerreka, la influencia cercana de un político como Emilio Azarola, acérrimo opositor al Estatuto, fuera decisiva.

Conforme avanzaba la República, las izquierdas fueron animándose a salir del ostracismo. En marzo de 1933, la UGT organizó una reunión en Doneztebe a la que acudieron representantes de Bera, Igantzi, Legasa, Ziga, Oronoz, Oieregi, Narbarte, Sunbilla, Gaztelu, Urroz, Lekaroz e Irurita.[15] Por sus conclusiones sabemos cuáles eran las reivindicaciones socialistas en aquella comarca. Entre las más importantes, los helechales, «de los que se han apropiado y registrado a su nombre muchos católicos de la comarca». Solicitaban su devolución al comunal y su aprovechamiento colectivo por los más necesitados, «teniendo en cuenta la ubicación de los diferentes caseríos». Para mejor aprovechamiento de los montes y pastos, demandaban a Diputación que dejase de plantar pinos, en una zona necesitada de robles, castaños y yerbas. Además pedían introducir más cerezos, ciruelos, nogales y avellanos en las orillas de los ríos; no perder más pastos en Quinto Real, ni la madera de Bertiz Arana, «donde se pudre porque el dueño no permite sacarla». Y que no se cortasen los robles y castaños tan general e indiscriminadamente. Por último, que funcionasen las Bolsas de Trabajo para aliviar el paro de la zona.[16]

Pero Donamaria y Gaztelu seguían mostrándose como un impenetrable bastión antigubernamental. En las elecciones de diciembre de 1933, las derechas encabezadas por Rafael Aizpún consiguieron 305 votos de un censo de 340, y solo 7 el PNV, que lideraba Manuel Irujo.[17] Los partidos republicanos de izquierda, ni un voto tan siquiera.[18] Pedro y Juana Josefa acudieron a votar, a las derechas, es de suponer.

En septiembre de 1934, fue presentada en el Ayuntamiento la única moción «política» del periodo republicano. Ante el amplio movimiento de protesta foral que estaban protagonizando los concejales y alcaldes vasconavarros, el edil Francisco Juanena propuso que se enviase al Consejo de Ministros un escrito, explicando que «este municipio no ha querido secundar la actitud de otras corporaciones de las Provincias Vascongadas, con las que tantos vínculos de hermandad nos unen, por entender que no era aquella la más adecuada de trasmitir sus anhelos forales sustancialmente españoles». Y acababa solicitando la urgente convocatoria de elecciones para diputados provinciales, principal objetivo de las derechas navarras. Se aprobó por unanimidad.[19] Cuando en enero de 1935 el Ayuntamiento votó para elegir los nuevos gestores de la Diputación, los siete concejales votaron al tradicionalista Jenaro Larrache, presidente del Consejo de Administración del *Diario de Navarra*. Donamaria y Gaztelu, sin fisuras.

Esta homogeneidad política, monocolor podría decirse, no parece que fuera más allá de los votos. Antonio Lizarza, en sus *Memorias de la Conspiración*, contaba que, en marzo de 1935, había en Navarra 899 patrullas con 5.694 «boinas rojas». De la Merindad «de las montañas» eran 1.290, y de estos solamente había un boina roja en todo Malerreka, en Doneztebe concretamente. El voto masivo a las derechas, no supuso que el valle se involucrase en la sublevación armada.[20]

El último día del año 1935, se cerró el padrón de Domanaria y Gaztelu, y vemos que toda la familia Sagardía Goñi aparece al completo. El padre, de 42 años –en realidad tenía 45–, había nacido en Oiz pero llevaba 13 años en Gaztelu y trabajaba de carbonero. Su mujer, Juana Josefa, de 36 años según el padrón –38 según su acta de nacimiento–, se dedicaba a «sus labores», sin duda muchas con tan luenga prole. Constan que sabían leer y escribir, no así los hijos, lo que indica cierto declive en la familia. Los dos mayores, José Martín y Joaquín, eran carboneros como su padre. Les seguían cinco más, la menor Asunción, con 10 meses. El primero de enero de 1936, cumpliendo la ley que amenazaba con penas de arresto mayor y multas de hasta 1.250 pesetas a quienes se negaran a rellenar las hojas del censo, Juana Josefa firmaba debajo de su larga familia, con sus dos apellidos y buena letra, la hoja de inscripción número 12-67. Existía pues, aunque tal vez fue la última vez que firmó un documento oficial.

El año 1936 comenzó con frío y escasez. El alcalde, José Micheltorena, solicitó a la Diputación autorización para extraer del monte 2.500 cargas de leña y cubrir las necesidades del pueblo. Entre la Junta de Veintena, elegida pocos meses antes, vemos a los mayores contribuyentes «por derecho propio»: encabezaba la lista Agustín Migueltorena; de Gaztelu aparecen algunos apellidos con los que luego tropezaremos: Azcona, Grajirena, Ilarregui.

Las históricas elecciones de febrero de 1936, mostraron hasta qué grado Donamaria y Gaztelu estaban en las antípodas de lo que acontecía en España. Si el Frente Popular ganó en el Estado, allí no consiguió una sola papeleta. Ni una. Donamaria y Gaztelu se volcaron para apoyar al Bloque de Derechas: de 341 electores votaron 329, un 96%. Y todos los votos fueron para Rafael Aizpún, salvo 8 que arañó Irujo.[21] Un pueblo, en suma, sin discrepancias políticas, con una religiosidad inmutable y abrumador antirrepublicanismo, lo que todavía hace más sorprendente lo que ocurrió pocos meses después.

El «Glorioso Alzamiento Nacional» de julio de 1936, llegó a Donamaria y Gaztelu con la misma indiferencia en las actas municipales con la que habían recibido la República. De hecho, el 13 de junio celebraron la última sesión «republicana», y la siguiente la hicieron el 30 de agosto del mismo año, mes y medio después del comienzo de la guerra. José Micheltorena seguía de alcalde y Melchor Alzugaray de concejal y alcalde «de barrio» de Gaztelu. En esa primera sesión «nacional», trataron de que los maestros Victoria Goicoechea y Eugenio Arbeloa, no podían tomar posesión de las escuelas por estar la primera en San Sebastián, «que todavía no ha sido tomada por nuestras tropas, y el segundo sirviendo en filas». Acordaron nombrar dos nuevas maestras, «haciéndoles saber las nuevas obligaciones que tienen de rezar las oraciones a la entrada y salida de las aulas, añadiendo a dichas oraciones el Padre Nuestro y Avemaría, y haciendo también la señal de la cruz».[22] En el resto de pueblos del valle, la Guardia Civil destituyó a unos cuantos maestros, concejales y funcionarios, generalmente por nacionalistas «antipatrióticos», y la represión se saldó inicialmente con algunos presos y desterrados, multas, varios escapados y la salida de varones a los frentes de guerra, unos voluntariamente, otros menos. Nada que ver con la bestialidad sufrida en las zonas más meridionales de Navarra.

En noviembre celebraron una nueva junta municipal, en la que, siguiendo consignas generales, acordaron que se llevase a cabo «la normalización del matrimonio dentro de las normas católicas»[23], obviedad de la que nadie en el pueblo podía darse por aludido. Con esta lenta cadencia se seguirán convocando las juntas, sin la menor referencia a los acontecimientos que estaban sucediendo, y que ocupaban muchas páginas en los libros de actas de otros ayuntamientos. Gaztelu y Donamaria seguían con sus helechales, repartos de leña y otras menudencias cotidianas, como de espaldas al trascendental conflicto que se vivía a pocos kilómetros y cuyos cañonazos se podían escuchar desde el altozano de Arregi. Tan solo anotamos que, en enero de 1937, Melchor Alzugaray, alcalde de Gaztelu, fue nombrado vocal de la Junta de Beneficencia, encargada en aquellos momentos de atender a las necesidades de los vecinos perjudicados por la guerra.[24]

Un hombre busca a su familia

El Tercio de Santiago, formado por requetés navarros y dotado inicialmente con cuatro compañías de fusiles, había salido al inicio de la guerra primero hacia Somosierra y luego al frente de Navafría. Las compañías se fueron engrosando con el aluvión de voluntarios que, de fuerza o de grado, se iban incorporando. Algunas crónicas laudatorias hablan de que algunos de los voluntarios tenían ya más de 40 años. En la 8ª compañía, Pedro Sagardía, *Sagardi,* se había incorporado con 46. Pero pocos como él habían dejado atrás una familia con siete hijos menores. Y desaparecida.

Entre marchas, contramarchas, trincheras y asaltos a la bayoneta, protegido por el *Detente bala* y el Corazón de Jesús que le habían endosado en el pecho, Pedro escribió a los suyos. Su mujer no contestaba. Los parientes de Oiz, Doneztebe e Ituren, no tenían noticias. A finales de noviembre, escribió a Miguel Taberna, comerciante de Doneztebe y propietario de su domicilio, la *Arretxea* de Gaztelu. Este le contestó el 17 de diciembre de 1936, en una carta que dejó todavía más incógnitas al requeté Sagardía:

«Nada en concreto sé acerca del paradero de su familia; pues corren tan contradictorias noticias, que me dejan completamente despistado. Ahora, lo único que en obsequio de usted puedo hacer es dirigirme al alcalde de Leiza, por si resulta cierta la noticia de que allí se ha dejado ver su familia. Su hijo, que estaba en Lecaroz, me han dicho que se va de Requeté voluntariamente. Saludos cariñosos de mi familia... Miguel Taberna».[25]

Pasan varios meses sin que tengamos noticias de él. ¿Podía regresar? No era fácil en aquellos momentos: algunos voluntarios que lo intentaron sin autorización fueron fusilados. Al parecer, Pedro logró un permiso y volvió del frente. Recomendaciones de un pariente poderoso, pensaron algunos. Pudo ser, como se verá. El 2 de agosto de 1937, bien asesorado por un abogado, presentó una larga y estremecedora denuncia al Juzgado de Pamplona:

Pedro Sagardía Agesta, de 46 años de edad, natural de Oiz, y vecino de Gaztelu (Navarra), Ayuntamiento de Donamaría, y en la actualidad Requeté del Tercio de Santiago, de situación en Navafría, ante el Juzgado con todo respeto tiene que formalizar, como mejor en derecho proceda, la presente denuncia a fin de lograr averiguar el paradero de su familia, ya que sospecha haya sido víctima de algún accidente o crimen.

A estos efectos debo manifestar:

Que el año pasado 1936, a principios del mes de agosto, se hallaba el denunciante trabajando en los montes de Eugui, cuando recibió aviso de su mujer, que acudiese al pueblo de su residencia, Gaztelu, pues había sido conminada por la Autoridad para abandonar la casa y pueblo. La familia, que al entonces estaba en Gaztelu habitando la casa llamada Arrechea, estaba compuesta por su mujer Juana Josefa Goñi Sagardía de 38 años y los hijos de ambos: Joaquín de 16 años; Antonio de 12; Pedro Julián de 9; Martina de 6; José de 3 y Asunción de 2. [En realidad la pequeña tenía año y medio].

Como posteriormente no ha hablado ya con su familia, ignora el denunciante qué autoridad fue la que ordenó a su familia salir de la casa y pueblo, y por tanto no puede precisar si fue el alcalde del pueblo, el del Ayuntamiento, o la Guardia Civil del puesto de Santesteban a cuya demarcación corresponde Gaztelu, como tampoco puede precisar las causas, toda vez que tanto el denunciante como su esposa han votado en todas las elecciones (con excepción de las últimas en que no votó el denunciante por hallarse ausente trabajando) a la candidatura de las derechas.

Cumpliendo el ruego de su mujer, el denunciante acudió a Gaztelu mas no le fue permitido entrar en el pueblo, y la guardia que había entonces en él (como ocurrió en casi todos los pueblos, por efecto de la reciente iniciación del Movimiento Salvador de España), formada por elementos del mismo pueblo, le detuvo, y sin consentirlo ver a su familia, que todavía se encontraba en casa, le llevó detenido a Santesteban, entregándolo a la Guardia Civil. Debe hacer constar que haciendo dicha guardia en el pueblo había mucha gente y entre ellos recuerda al Alcalde de Barrio Melchor Alzugaray y Agustín Irurita, que fueron los que le condujeron detenido a Santesteban. Además, recuerda a un tal Pedro cuyo apellido no recuerda, pero que habita y es dueño de la casa llamada Cominea, y así mismo los dueños y habitantes de las casas llamadas Larretoa y Michenea, y también recuerda a Agustín Gragirena, y otros varios que en este momento no puede precisar.

Ya en Santesteban, entregado a la Guardia Civil, fue allí detenido sin explicación de la causa de su detención, ni prestación de declaración alguna, alrededor de unos seis días, siendo después puesto en libertad, y se le ordenó por el Sargento de la Guardia Civil Comandante del puesto, no acudiese de ninguna forma a Gaztelu y que se marchase, y cumpliendo esta orden se fue a Eugui, donde continuó su trabajo. Pocos días después, pero dentro desde luego del mes de agosto, recibió carta de su mujer pidiéndole dinero, que yo atendí remitiéndolo con un tal Martín Gubia, del mismo Gaztelu, (que en la actualidad es muerto en la guerra)[26] *quien pocos días después se lo devolvió, manifestándole que su familia no se encontraba en Gaztelu.*

En estas condiciones continuó su trabajo, hasta el mes de octubre. Sobre el día 22 bajó a Elizondo, donde oyó a algunos amigos suyos que su familia no estaba ya en Gaztelu. Con el fin de comprobarlo fue a dicho pueblo, encontrándose su casa cerrada y sin estar su familia en el mismo. Fue a su casa a recoger unos papeles, acompañándole el alcalde de Barrio Melchor Alzugaray y Jesús Gamio, no pudiendo entrar por la puerta, pues el alcalde le dijo se había perdido la llave y se encontraba clavada, por lo que entró por una ventana, existiendo los muebles, y recogió sus papeles militares pues había formado propósito de ingresar voluntario en el Requeté, como así lo hizo días después, en espera de tener noticias del pueblo o lugar donde su familia se había refugiado.

El tiempo ha ido pasando, ha efectuado el suscribiente muchas gestiones en averiguación del sitio donde pudiera encontrarse su familia y todas ellas con resultado negativo. Su esposa no tiene familia más que en los pueblos de Oiz, Santesteban, Ituren y Aranaz, pero en ninguno de estos pueblos se encuentra, ni estos parientes tienen de ellos noticia alguna. Como prueba de una de estas gestiones, acompaña una tarjeta postal, que le dirigió contestando a una suya D. Miguel Taberna, vecino de Santesteban, dueño de la casa de Gaztelu donde vivían. Vuelto con esta incertidumbre del frente, tiene temores de que su familia haya sufrido algún accidente irremediable o haya sido víctima de algún crimen.

Fundamenta estos temores en la desaparición súbita de toda la familia, sin dejar rastro alguno de su paso a ningún lugar fuera del pueblo, de rumores que oye y de la carencia absoluta de noticias en toda la parentela.

Dñª Teodora Larraburu, vecina de Gaztelu e íntima amiga de su mujer, le manifestó que el último domingo de agosto fue el último día que vio a la Juana Josefa. Que anteriormente a este día la familia, cumpliendo lo que se le había mandado, salió de casa con algo de ajuar instalándose en el monte, hacia el linde de los términos de Santesteban y Legasa (construyéndose una choza para cobijo), lugar en cuyas proximidades existe una sima. Le manifestó igualmente que ese domingo de agosto, por la noche, oyó tiros en el monte y que en la mañana siguiente la choza había ardido. Desde esta fecha no tiene noticia alguna, a pesar de ser su mejor amiga, y asegura que en la conversación que con ella tuvo, nada le dijo de intenciones de ausentarse.

Que los familiares que tiene por aquellos alrededores que pudieran tener noticias, y tampoco saben nada del paradero, oyendo en cambio muchos rumores, son: En Oiz, el padre y la hermana del firmante; en Santesteban, la hermana de la mujer del firmante llamada Petra Goñi.

Ante todas estas manifestaciones y prometiendo alegar ante el Juzgado cuantos datos pueda ir adquiriendo que puedan dar alguna luz o noticia respecto a este asunto, manifestando igualmente que con el fin de adquirir datos y hallarse más próximo a las actuaciones judiciales y por lo que a ellas pueda ayudar, fija su residencia en Oiz (Navarra) en el domicilio de su padre.

Pedro Sagardía»[27]

La denuncia de Pedro proclamaba una tragedia y volcaba la caja de Pandora sobre los habitantes de Gaztelu. Vale la pena remugar la secuencia: Pedro estaba trabajando en Eugi de carbonero y, llamado por su mujer, acude al pueblo. Un pueblo con gente en armas, dotada de poderes extraordinarios, excitada por el inicio de una guerra civil, con el frente guipuzcoano y la frontera a pocos kilómetros. No le dejan entrar, ni ver a su familia, pese a ser la única persona que podía socorrerla si tenían necesidades.

Lo entregan a la Guardia Civil –acusado de espía, según dirán luego–, que lo tiene unos seis días preso y ni siquiera le toman declaración. La mera sospecha de ser cierto lo del espionaje, hubiera supuesto esos días ser fusilado en el acto. Él dice haber votado a las derechas, lo cual puede ser cierto: todos en Gaztelu lo habían hecho. La Guardia Civil lo pone en libertad prohibiéndole regresar con su familia, es decir, negándole a esta de nuevo el único socorro posible. Pocos días después, Sagardía recibe una carta de su mujer pidiéndole dinero. Se lo envía con alguien de confianza, Martín, el hijo de Teodora Larraburu, pero este ya no la encuentra. Transcurren dos meses y le dicen que su mujer sigue sin estar en el pueblo. Acude, por tercera vez, en su ayuda y, bajo vigilancia, comprueba que la casa está cerrada. Coge unos papeles y se alista –¿voluntario?– al Requeté.

A botepronto surgen dos hipótesis: la primera que Pedro fuera un *txoriburu,* un cabeza loca, como dirán luego de él los informes de la Guardia Civil, capaz de marchar voluntario al frente dejando una familia entera desaparecida. Además tenía ya bastantes años, estaba lejos de la edad militar. Nadie lo obligaba. ¿O sí? Porque la otra hipótesis es que Pedro fuera una persona amenazada y perseguida (ya había sido acusado y detenido arbitrariamente) y buscara salvar su pellejo de la misma manera que muchos navarros lo hicieron en aquellos primeros meses del «Glorioso Alzamiento», cuando era más seguro ir al frente de batalla, que esperar en la retaguardia a que te fusilaran.

También merece la pena analizar el lugar donde Juana Josefa y sus hijos construyeron la txabola: salió, o la sacaron, de su casa y en lugar de tomar el camino de la derecha, hacia la iglesia, para marchar a lugares poblados, como Donamaria, Santesteban, Oiz, Ituren o Legasa, donde tenían familiares, fueron, o los llevaron, hacia la izquierda, tomando el camino que desde el lavadero sube al monte Irisoro. Casi dos kilómetros de fuerte pendiente, para instalarse en una hondonada, donde estaban los restos de una txabola de piedra, que cubrieron con ramas y helechos. No había nada, ni castañas, para sobrevivir siete personas. ¿Fueron allí porque Juana Josefa tenía la esperanza de que volviera su marido y que les permitieran regresar a su casa? Sería la hipótesis menos cruel para los que tomaron el acuerdo de expulsarlos. Porque la otra sería que los obligaron a ir al monte, en lugar de a una población, para tenerlos cerca de la sima. Quedémonos con la primera.

Comienzan las indagaciones

El juez instructor, Carlos María García-Rodrigo y de Madrazo, no se hizo esperar. Al día siguiente de presentarse la denuncia, dictó un *Auto* que se refería únicamente a «un hecho que puede ser constitutivo de un delito de incendio y coacciones». Y daba orden al Juzgado de Donamaria «a fin de que se cite ante este juzgado, para el día 11 del corriente, a las once, a Melchor Alzugaray, Agustín Irurita, Pedro el de casa *Cominea,* los dueños de las casas de *Larretoa* y *Michenea,* Agustín Grajirena, Martín Gubia, Jesús Gamio, Teodora Larraburu y diríjase orden al Juzgado municipal de Santesteban, para la citación el mismo día y hora de D. Miguel Taberna, a fin de recibirles a todos ellos declaración».[28]

El alguacil Julián Guenberena, convertido a su pesar en pájaro de mal agüero, fue llevando casa por casa la cédula de citación: *Bidauztea, Larretoa, Komizkoborda...* Fácil es suponer la tensión vivida en el pueblo aquella semana de espera. Pero ni todos los citados estuvieron en los hechos, ni citaban a todos los que estuvieron. ¿Por qué? ¿Qué sabía ese juez *belarrimotza* de lo acontecido? ¿Y cómo declarar si algunos de ellos ni sabían castellano? ¿Y qué declarar? No era lo mismo la expulsión, el incendio o la desaparición. ¿Estarían todos a una? Como en el relato de Truman Capote, *A sangre fría*, aquellas sombrías citaciones «encendieron hogueras de desconfianza, a cuyo resplandor muchos viejos vecinos se miraron extrañamente, como si no se conocieran».

La noticia además llegó el día que se iniciaban las fiestas patronales, en honor de Santo Domingo de Guzmán. Por la guerra se habían suspendido en todos los pueblos los festejos lúdicos, no así los religiosos. De mañana, el txistulari había estado tocando de casa en casa, anunciando que, a las once, acompañaría al alcalde y su séquito desde la casa consistorial hasta la iglesia. Eran apenas 180 pasos de desfile oficial, que por el lado derecho bordeaba las fachadas de cinco casas: *Herriko Etxea, Harritxuria, Arretxea, Apezarena y Bidauztea,* y por el lado izquierdo las de *Gamioa, Etxetxikia, Argingaraia* y *Argiñazpia.* La solemne comitiva, otrora alegre pregonera de la fiesta, tenía ahora algo de patibulario: en la primera de esas casas se habían tomado todas las decisiones trascendentales del caso; otra era *Arretxea,* morada de la familia desaparecida, presente en la mente de todos al pasar frente a ella; la contigua era la del cura, que esperaba con el sermón afilado al fondo de la calle; la última de la derecha era la del alcalde, Melchor Alzugaray. Finalmente la iglesia, en la que ya no bastaba, como antaño, acogerse a antana para eludir la justicia.

Ignoramos de qué trató el sermón del cura párroco en aquel tenso día del Patrono: los más jóvenes estaban en la guerra y los demás, menos jóvenes, con una citación judicial que nada bueno auguraba. No se trataba de un pleito por contrabando o una disputa menor. Era un crimen nefando. Un contradiós. Tal vez el preste, conocedor de todos los secretos del lugar desde el oráculo de su confesionario, evitó ese día volver a repasar los rasgos biográficos del patrono Santo Domingo de Guzmán, un clérigo castellano nacido en Caleruega en 1170, que fundó la orden de Predicadores o Dominicos y que, vete a saber por qué vericuetos históricos, acabó siendo patrono de Gaztelu. La leyenda dice que su madre, antes de parirlo, soñó que un perro salía de su vientre con una antorcha encendida en la boca. La mujer acudió a Santo Domingo de Silos para que le explicara el sueño y el santo le dijo que su hijo iba a encender el fuego de Jesucristo por el mundo. En agradecimiento, la madre puso a su hijo el nombre de Domingo, y se dice que la orden que fundó, los *Dominicanus*, es un compuesto de *Dominus* (señor) y *canis* (perro), esto es, el perro o vigilante del Señor. Por eso la iconografía representa a Santo Domingo de Guzmán, patrón de Gaztelu, como un perro con antorcha. Su amor por la pureza fue tan grande que confesó ante sus hermanos de la orden que, en sus 51 años de vida, se había mantenido virgen: «Si deseáis guardar vuestra virginidad, evitad todas las conversaciones y vigilad vuestros corazones» dicen que dijo. Demasiadas alegorías para los que aquel día tenían el espíritu especialmente sensible.

Al final de la misa, el séquito regresó al *Ostatu*, donde según la tradición, se servía *salda* y una torta especial. Otros años el txistulari interpretaba el *zortziko* y *dantza luze*, pero en esta ocasión, sin mozos, con la guerra allá y la incertidumbre acá, no estaba el horno para bollos ni el ánimo para dantzas.

La mañana del día 1 de agosto, la gente de Gaztelu madrugó más de lo habitual. En varios coches se dirigieron a la capital, que apenas conocían por la feria de San Fermín y algunas gestiones de obligado cumplimiento. Ninguno había pasado anteriormente por el Juzgado. Vicente Micheo Ochandorena, de 33 años, fue el primero en declarar. Dijo que no estuvo cuando la detención, pero sabía que a Sagardía lo llevaron detenido Alzugaray e Irurita, y que había oído «que en el mes de octubre fue vista la familia en un monte que existe a una hora de Gaztelu, pero que no recuerda su nombre». Tampoco conocía «sima alguna en las inmediaciones de Gaztelu».

El comerciante Miguel Taberna, de 63 años y *jauntxo* local, afirmó que Juana Josefa fue a decirle que «de él dependía que saliera de la casa o no», pero él le aconsejó que hiciera caso a las autoridades y la abandonara. Y que había oído que la familia estaba «en Leiza o en el valle de la Ulzama».

Melchor Alzugaray, labrador de 35 años, concejal de Donamaria y alcalde de Gaztelu, declaró que estaba de guardia y que junto a Irurita detuvo a Pedro Sagardía y lo llevaron a la Guardia Civil de Santesteban, porque «se decía por el pueblo que era un espía». No obligaron a la familia a abandonar el pueblo: «únicamente le invitaron a que saliera por indeseable, pues toda ella se dedicaba a robar por los campos toda clase de verduras y en alguna ocasión gallinas y ovejas». Se fueron y construyeron una choza cerca del pueblo «donde estuvieron unos días, desapareciendo sin haber dejado rastro alguno». Conocía la sima que hay a unos seis kilómetros del pueblo, pero nada sabía del incendio. Tampoco sabía dónde estaban, pero en el pueblo se comentaba que «en el mes de septiembre, se había visto a un hijo con su madre por la vía del Bidasoa, hacia Baztán».

Agustín Irurita Indart, labrador de 34 años, coincidía con su compañero de guardia sobre el espionaje y sobre cómo les «invitaron» a abandonar el pueblo «por pillaje». Añadió que un tal Lorenzo, vecino de Legasa, vio a la familia por dos veces, 15-20 días después de quemarse la choza.

José María Sarratea Arregui, de 42 años, estuvo presente en la detención y en la invitación a marcharse, «por acuerdo de todo el pueblo». No creía que les hubiera pasado nada grave, porque el tal Lorenzo les vio.

Agustín Grajirena Urroz, de 34 años, insistió en los robos de patatas, gallinas e incluso ovejas, «sin que nunca se pudiera comprobar, pero teniéndose la certeza de ello». Además, Lorenzo las vio «camino de Elizondo».

Jesús Gamio Azcona, de 30 años, estuvo lacónico. No sabía nada. Finalmente, Lorenzo Irigoyen Alzugaray, de 58 años, dijo que vio, entre el 5 y el 10 de septiembre, «pasar por la vía, a unos dos kilómetros de Mugaire, a la mujer de Pedro Sagardía con un chico de 10-12 años». Insistía en que era ella, «pues la conocía perfectamente». Martín Gubia no acudió a la citación porque, como ya había dicho Sagardía al juez, había muerto en el frente.

En las declaraciones ya se columbraba que ocultaban algo. Resulta casi imposible de creer que un *baserritarra* de Gaztelu no supiera de la existencia de varias simas en los alrededores. Y todos los rumores, con alguna certeza, de que habían visto a Juana Josefa en el monte, en Ultzama, en Leitza, en Elizondo o en Mugaire, resultaron falsos. Todos coincidían en lo del pillaje de comestibles, pero ¿por qué no dejaron entonces al marido que les socorriera? ¿A qué vino esa letal y falsa acusación de espionaje contra Sagardía? Por último, «todo el pueblo» les había invitado a marcharse, y la pista se pierde en una txabola cubierta con ramaje, quemada, donde una madre desesperada con seis hijos hambrientos tuvo, parece ser, su última morada.

Teodora Larraburu Erburu, casada de 45 años, fue la única en salirse del discurso general. Dijo que fue el alguacil quien la citó al *batzarre*, donde «acordaron despachar del pueblo a Juana Josefa Goñi, dentro de 24 horas y entonces la Juana Josefa pidió que le dejasen otras 24 para dar tiempo a que su marido bajara del monte (...). Cuando el marido bajó del monte porque su mujer lo había llamado, al llegar a la plaza y sin ver siquiera a su mujer, unos individuos llamados Alzugaray e Irurita, y otro individuo que era de Larretoa [«de la Retoa» escribe el secretario castellano], le dijeron manos arriba y se lo llevaron detenido al sargento de Santesteban, y que al dejarle en libertad a los ocho días, le ordenó dicho sargento que no fuese donde su familia y que se marchase directamente al monte».

Teodora añadió que el mismo día que se llevaron preso a Sagardía, «se llevaron a la familia, sacándola de la casa sin permitirle volver». Que un poco más arriba de donde se construyó la txabola está la sima «bastante profunda». La noche que quemaron la choza, ella no oyó los tiros, pero en el pueblo se decía que se escucharon en las inmediaciones de la sima. Sospechaba «que el obligar a dicha familia a abandonar la casa fue debido a que le acusaban de haber arrancado unas plantas de remolacha y maíz, propiedad de un tal Nicolás, cuyo apellido no recuerda si bien cree que es Micheltorena». Dijo que a ella también le obligaron a abandonar el pueblo y se fue a Elgorriaga, por eso no ha estado en las proximidades de la sima donde, según la gente, «se sentía gran olor en sus proximidades». ¿Causas y autores del incendio? Lo ignoraba, pero «se rumorea por el pueblo que la misma guardia que estaba esa noche la quemó».[29]

Teodora Larraburu no contó todo en esta declaración. No dijo, porque no le preguntaron o no quiso decir, que el motivo por el que la obligaron a abandonar el pueblo era el mismo que el de su amiga Juana Josefa. Tampoco dijo que, solo 15 días después de la desaparición de la familia, ella tuvo que acudir al juez de Donamaria para denunciar por calumnias a su vecina Asunción Larraburu, porque le acusaba de «haber arrancado varias plantas de alubias, berzas y pimientos» y, como no era cierto, exigía «que le devolviera la honra y la fama». La vecina dijo que no podía devolverle nada puesto que nada le había quitado, y el juez y los dos hombres buenos, que representaban a ambas partes, decidieron abandonar el pleito. Eso sí, el juez añadió que si Teodora quería volver a la casa que habitaba, tendría «que entenderse con el que le ha hecho salir de ella».[30]

Así pues, no solo acusaron a la familia Sagardía de raterías, sino que también algunos lo hicieron con Teodora, a la que convocaron al mismo *batzarre* en el Ayuntamiento y tuvo que abandonar el pueblo. Afortunadamente para ella, no tuvo el mismo final. Un año después, en el juicio, Teodora se encaraba de nuevo con los que la habían echado del pueblo, pero ahora tenía una credibilidad añadida: su hijo Martín, de 22 años, había «caído por Dios y por España» en el frente de Eskoriatza. Era pues, madre de un «mártir de la Patria».

De aquella noche queda un testimonio oral que plantea una duda estremecedora: cuando le dio la noticia a Petra Goñi, Teodora dijo que solo se habían escuchado cuatro disparos en el monte. Si eran siete los que dicen que arrojaron, ¿cómo mataron al resto? Esa incertidumbre acompañará a ambas mujeres el resto de sus vidas.[31] ¿Y era cierto que alguna gente acudió al día siguiente a la sima a comprobar si se escuchaban gritos? Dicen que no oyeron nada, y sería cierto. Don Quijote pudo sacar «de aquellas tinieblas, a la luz del sol», a su famoso escudero, pero malamente podría sacarse nada vivo que cayera al fondo de Legarrea con sus 50 metros de caída casi vertical, esto es, 16 pisos de altura.

Mientras los gazteluarras pasaban por los juzgados, la Guardia Civil investigaba por orden del juez los puestos fronterizos. El 28 de agosto informaron que no habían descubierto nada. Nadie los había visto por los lugares citados. A la familia se la había tragado la tierra, quizás nunca mejor dicho. Unos días más tarde informaron al juez que Pedro estuvo trabajando en Eugi en agosto, septiembre y parte de octubre. La familia no apareció por allí. Luego, Pedro estuvo de requeté en el frente, «y hace unos días ha estado en casa donde trabajó el año anterior, a liquidar cuentas pendientes, manifestando a sus patrones que se iba a Pamplona donde prestaba servicio como requeté».[32]

Sagardía insiste

El 13 de septiembre («Segundo Año Triunfal», rezaba la carta), Pedro envió una nueva demanda al Juzgado. Se había encontrado con Mariano Rodríguez, un albañil al que conocía, y este le contó que días atrás había estado en la calle Campana de Iruñea con Tomás Alcaine, vecino de Legasa y, hablando de lo ocurrido, le contó «que esta familia está echada en la sima de Gaztelu por gente de Gaztelu». Los habían acercado a la sima «por medio de amenaza de fuego por detrás», y que entre los presentes estaban también tres vecinos de Legasa, los hermanos Subizar, uno de ellos llamado Francisco, dueños de las casas *Zamargillenea* y *Albinea*, y un cuñado de estos, José María Echepare, amo de la casa *Bidaganea*.

Al oír estas declaraciones, «y con el fin de que el día de mañana no pudiera negarlas», lo llevó a tomar un vaso de vino a una taberna de la misma calle Campana, y allí, en presencia del dueño, Santiago Elizalde, repitió las mismas palabras. Luego, Elizalde le contó a Pedro lo sucedido con su familia.

En su demanda, Pedro seguía soltando cabos: «Debo hacer resaltar nuevamente que a mi familia se la hizo salir de casa por la autoridad municipal, sin que conste quién recogió la llave ni quién se la dio al nuevo vecino que ha entrado en ella, estando todavía en la misma nuestros muebles (hoy han sido ya retirados), ni por qué razón se alquiló nuevamente sin haber procedido al despido por nuestra parte. A efectos de que pueda también aclararse cuándo y de qué forma salió mi familia de casa, he de exponer al Juzgado que las casas contiguas cuyos moradores forzosamente tienen que saber detalles de la salida, y noticias también por lo menos sobre los rumores que acerca de su paradero corren, son: la casa del Sr. Cura párroco; la de Fidel Gamiola; la de José Francisco Larraburu y la de Joaquín Ilarregui».

Ese mismo día, el Juez tomó a Pedro la ratificación del escrito y al día siguiente citó como testigos a Mariano Rodríguez Zubiria, de 55 años, vecino de la pamplonesa calle Mayor, y al tabernero Santiago Elizalde, de 32 años.

Ambos declararon el 20 de septiembre. El primero ratificó lo que le había dicho Alcaine que «se decía en el pueblo, y que incluso se decía que con dicha familia se hallaban también en dicha sima tres hermanos de Legasa, apellidados Subizar». Luego se corrigió aclarando que los hermanos Subizar no fueron arrojados a la sima, «sino que se hallaban en Gaztelu cuando se dice que fue arrojada y que quizás fueron testigos del hecho». Alcaine añadió que «para acercar a la sima a la familia, los empujaban con teas de fuego».[33]

Santiago Elizalde no aportó mucho más, porque «como el declarante tenía que atender al despacho de la taberna, no pudo oír detalles». Ante algunas contradicciones de los testigos, el juez dictó una providencia para celebrar un careo entre ellos.

El pariente militar

En Malerreka siempre se dijo que los Sagardía tenían un pariente poderoso, que con el Alzamiento adquirió una fama relevante y que influyó decisivamente para que prosperaran las diligencias judiciales: el coronel Antonio Sagardía Ramos, tío de Pedro Antonio y quizás pariente también de Juana Josefa, que llevaba Sagardía su segundo y tercer apellido.

De otro modo no se puede entender que en una guerra despiadada, en medio de la represión que desangraba Navarra, se admitiera a trámite en un juzgado una demanda por desapariciones en una aldea perdida, presentada por un carbonero sin recursos. Miles de familias navarras habían visto llevarse a sus padres, hijos, esposos, hermanos. Los habían detenido públicamente, en sus domicilios, en la calle, ante docenas de testigos. Los que no habían sido fusilados en el primer momento, habían sido llevados a instalaciones oficiales, a ayuntamientos, cuartelillos de la Guardia Civil, a cárceles del distrito, al Fuerte San Cristóbal. Muchos de ellos habían sido inscritos, con registro de entrada y de salida. Y a los pocos días habían desaparecido. Y si aparecían, era en cualquier rastrojo o ezpuenda.

Centenares de familiares acudieron desesperados a presentar denuncias, o a indagar ante la Guardia Civil, ante los párrocos, ante los jueces. Movieron hilos, tocaron aldabas, suplicaron. Las familias en los pueblos estaban mezcladas, todos tenían algún conocido influyente en el otro bando. Algunos afortunados pudieron conseguir que, en el registro de defunciones, algún funcionario se apiadase y colocara un «Muerto a causa de la Guerra Civil», o «Fallecido a causa del Glorioso Movimiento», con el que algunas viudas y huérfanos pudieron ser reconocidos como tales.

Pero todas, absolutamente todas las reclamaciones por desapariciones, acabaron en la papelera. ¿Por qué la de Pedro Sagardía, un don nadie al cabo, iba a ser admitida a trámite? No basta pensar en que se trataba de un caso especial, con menores de por medio. Maravillas Lamberto tenía 14 años cuando fue violada y asesinada en Larraga. Felipe Molinet apenas tenía 9 meses cuando lo mataron con una bomba en Lodosa. Y ningún juez se interesó por ellos.

Tampoco era relevante el hecho de que fuera una familia de derechas, con el cabeza de familia y el hermano mayor voluntarios en el Requeté. No habían dudado en fusilar sacerdotes; incluso fusilaron a seis requetés navarros en el Alto de los Leones, la mayoría padres de familias numerosas, cuando quisieron regresar del frente a recoger las cosechas y atender a sus familias.

La única explicación para que un carbonero, cuya reputación era cuestionada por todos los poderes del momento (Ayuntamiento, Junta de Guerra, párroco), recibiera atención sobre unas desapariciones en un mar de desaparecidos, era que tuviera potentes aldabas. Y la aldaba de Pedro Sagardía tuvo que ser el coronel Sagardía.

Antonio Sagardía Ramos nació en Zaragoza en 1879. Sus orígenes estaban en Navarra, aunque su padre había nacido en Puerto Rico y su madre en Cuba. Ingresó en la

Academia militar a los 18 años y en 1921 era comandante. Se casó con María Laurnaga, nacida también en Puerto Rico, y fijaron su vivienda en Donostia. No era un militar «africanista», sino que estaba más ligado a la docencia en el arma de Artillería. Durante la República fue de los primeros en acogerse a la «ley Azaña», que ofrecía el paso a la reserva a los que no querían jurar la nueva República. Estaba residiendo en Iparralde al inicio de la sublevación golpista. Desde Pamplona, el general Mola, con el que ya andaba en granjerías, le llamó para que entregase personalmente un mensaje a las guarniciones de Loiola, pidiéndoles su adhesión al levantamiento. Pero la sublevación fracasó en Donostia y Sagardía tuvo que regresar a Iruñea atravesando Aralar. Ya con el cargo de teniente coronel, fue nombrado Segundo Jefe de las tropas que atacaban Gipuzkoa. Allí se le confió el mando de una columna para operar en el sector de Tolosa. Participó en la toma de dicha ciudad, y luego de Donostia y resto de la provincia.

De seguido se le encomendó la misión de formar una fuerza rápida de choque, con voluntarios vasconavarros y riojanos, que marcharía a luchar, inicialmente, al norte de Burgos. Es la que todo el mundo conocerá como Columna Sagardía. La formaban 750 voluntarios y soldados, provenientes de grupos falangistas y requetés. La tropa, el armamento y los cuadros de mando, se organizaron en Donostia. La Columna Sagardía llegó a Burgos a finales de septiembre de 1936, y defendió un amplio arco de más de 80 km., que abarcaba desde Villarcayo a La Lora. De esta Columna dependía que las fuerzas republicanas no avanzaran hacia Burgos, capital de la España de Franco, o al valle del Ebro. En noviembre y diciembre, se dieron importantes ataques por parte de las fuerzas republicanas, intentando llegar a Gasteiz y al Ebro, y separar Navarra del territorio faccioso. Pero el coronel Sagardía aguantó en los páramos burgaleses y su fama de invencible y valeroso, con su figura montado a caballo entre las balas, le convirtieron en un icono propagandístico de los facciosos.

Al otro lado del frente también se extendió su fama y le acusaban de ser responsable de la represión de los «rojos» en Burgos: fusilamientos en el kilómetro 14 de la carretera de Covanera y desapariciones en la sima Torca Palomera, en Mozuelos de Sedano, donde los republicanos eran tirados vivos a una sima de 60 metros de profundidad. Sí, una sima, muy similar a la de Gaztelu.

Tras su campaña en Burgos, Sagardía se desplazó con su columna a Santander y Asturias, ejerciendo una dura represión contra los civiles y soldados del bando republicano, que incluyó ejecuciones extrajudiciales. En diciembre de 1937, recibió la orden de trasladar sus tropas a Tafalla, donde debía formar una gran unidad llamada «62 División de Castilla» y de allí marchar a Guadalajara. En 1938 se trasladó al Pirineo catalán y en abril su columna se encontraba desplegada en el frente del Segre. El propio Sagardía lo había considerado una presa fácil, pero ante las bajas sufridas tras un ataque republicano, prometió fusilar «a diez catalanes por cada hombre muerto de mi guardia». Cumplió su palabra, y se le atribuye la matanza indiscriminada de 67 personas en el pueblo de Sort, comarca leridana del Pallars Sobirá, en el Pirineo catalán, buena parte de ellos ancianos, mujeres y niños. Se les conoce como «los Santos Inocentes del 38». En Rialp, Sagardía tuvo un rasgo de magnanimidad: un cura se arrodilló ante él implorándole por la vida de los vecinos que iba a fusilar y accedió a medias: dijo que «perdonaran a los de UGT y fusilaran a los de CNT». En otros lugares –Alins, Esterri, Unarre, pueblos de montaña similares a los de su Malerreka familiar– Sagardía continuó «limpiando» la retaguardia de paisanos sospechosos. En esas comarcas todavía recuerdan a este militar navarro con varios sobrenombres: «El Carnicero de Pallars» para unos, el «Botxí» (verdugo), para otros.[34]

En enero de 1939, Sagardía participó en la campaña de Cataluña y unas semanas más tarde comenzaba la ofensiva final, entrando al frente de su unidad en Alcalá de Henares, el 30 de marzo, tras tres años de resistencia republicana.

Durante la guerra fue ascendido por Franco a general y recibió lustrosas condecoraciones. En 1940 acudió a Berlín, con Ramón Serrano Suñer, el cuñadísimo de Franco, para negociar la neutralidad española en la Segunda Guerra Mundial. Sagardía fue nombrado posteriormente inspector general de la Policía Armada y de Tránsito, y gobernador militar de Cartagena.

En 1940 se editó su libro autobiográfico, *Del Alto Ebro a las Fuentes del Llobregat. Treinta y dos meses de guerra en la 62 División,* donde recuerda sus experiencias al mando de su famosa Columna. En la dedicatoria se muestra satisfecho: «Les prometí a mis muchachos dos cosas para realizarlas al final de la guerra: un monumento y un libro. El monumento ya está elevado en tierras de La Lora, tan pródigamente regadas con su sangre. El libro es este que he trazado con mis recuerdos». En sus memorias, Dionisio Ridruejo lo define como un soldado de raza gruñón, poco diplomático y ásperamente afectuoso. Su libro termina con una rara dedicatoria «a todas las mujeres españolas que supieron esperar y que tras la espera supieron guardar el respeto al héroe muerto». Y tras darle su consuelo a una joven viuda «para que fiase al porvenir el cierre de sus heridas», esta le despide con un enigmático «No mi general; de él o de nadie».

De su mal genio tuvieron noticia en Malerreka cuando se corrió que, tras la campaña de Asturias, Sagardía se había presentado con tropas en Irurzun, e hizo correr que pensaba arrasar el pueblo de Gaztelu. Al parecer, los frailes de Lekaroz anduvieron de mediadores y con buena manderecha consiguieron apaciguar al general.

Sagardía no había dudado en fusilar y asesinar a sus contrarios, fueran soldados o paisanos. La fama le precedía y el temor que sacudió Gaztelu fue real. En la cumbre de su poder, no iba a permitir que hicieran con sus parientes lo que él mismo había hecho con tantas otras en la Torca Palomera o en el Pallars Sobirá. Se trataba de sus deudos, y la sangre, dicen en Navarra, no es agua. Pero sobre todo no podía admitir que su apellido quedara manchado, al confundir a sus parientes con los rojos y separatistas aplastados por la «España Triunfante».

Claro que todo esto no dejan de ser rumores y suposiciones. Ni su nombre ni su firma aparecen en todo el sumario, y no tenemos prueba documental alguna que pruebe su intervención directa o indirecta, salvo el extendido testimonio popular y los recuerdos de la familia. Pero sin la mano poderosa y resentida del famoso militar, no se puede entender que la causa 167 se iniciara, ni que llegara tan lejos.

Primera visita a la sima

Las primeras declaraciones sobrecogieron a todos. La imagen de una madre con seis hijos hambrientos, azuzada de noche con teas de fuego hasta la boca de una sima, era una imagen de horror que solo tenía parangón en las representaciones del Infierno de algunas estampas religiosas. En las fantasías de los mártires que explicaban en la doctrina parroquial. En las alegorías de Santo Domingo de Guzmán, patrono de Gaztelu, que lo representaban como un perro con antorcha. Además era absurdo, no tenía ningún tipo de explicación. En algunos lugares de Navarra, la traída del cadáver de algún vecino muerto en el frente desataba las pasiones y producía manifestaciones pidiendo «justicia» que, en algunos pueblos, se concretaron en el asesinato masivo de otros vecinos presos. Fue el caso de Fitero, o de Tafalla, donde la traída de un requeté fallecido fue estribo para una saca de la cárcel, que acabó con 64 fusilados. El requeté Eusebio Michelena Gamio fue el primer gazteluarra muerto en el frente, pero lo fue en septiembre, después de los hechos. No pudo influir.[35]

El 8 de septiembre, en la romería de Santa Leocadia, los corrillos cuchicheaban con preocupación. Varios vecinos de los pueblos del entorno, Santesteban, Gaztelu, Donamaria y Legasa, habían sido citados para testificar sobre el «rumor público». De ellos, Jesús Aristegui, de 29 años, dijo que había oído el rumor, pero que no estuvo. Lorenzo Oyarzábal también lo había oído: conocía a la familia y sabía que «no tenía enemistades manifiestas con ninguna persona del pueblo»; únicamente tenía oído que la mujer hacía algunas raterías de verduras o aves de corral. Tomás Alcaine, de 81, declaró lo que se comentaba por Legasa. También de Legasa declararon los de casa *Enekenea* y *Kopoenea*. José Manuel Subizar confirmó el «rumor público» de la desaparición en Legarrea. Y añadió matices interesantes: Juana Josefa «estaba de buen parecer y vestía bien». Finalmente, los hermanos Subizar y su cuñado Echepare fueron exculpados de los hechos. Dos mujeres, Francisca y Benita Indabere, que habían hecho comentarios en el pueblo, dijeron ante el juez no saber nada. Sí conocía los rumores Francisco Azcona Indavere, de 31 años, labrador de Legasa. Hizo constar «que no sabía español», lo mismo que la mayoría de los testigos, por lo que se utilizó como traductor al concejal Martín José Irisarri.

También declararon las hermanas del matrimonio Sagardía Goñi. María, la de Pedro, soltera de 49 años y vecina de Oiz, sabía que «en el pueblo no querían a la familia porque eran pobres», pero a pesar de que para el sostenimiento de la familia solo contaban con lo que ganaba Pedro cuando trabajaba, «su mujer vestía bien y no he oído que pasaran apuros».

Petra, la hermana de Juana Josefa, llegó a declarar desde Donostia, donde vivía.[36] Reconoció que no se llevaba bien con su hermana, pero el último domingo de agosto, la fecha fatídica, vio por última vez a sus sobrinos Martina, Antonio, Asunción y Pedro. Ella dijo no saber más que los rumores, pero Teodora Larraburu, «que vive en Elgorriaga, lo sabe todo».

Gracias al testimonio de las hijas de Petra, conocemos más cosas, aparte del sumario. Era siete años mayor que Juana Josefa y su única hermana. Estaba casada en Doneztebe con Ramón Zozaya Huici, empleado en la empresa de electricidad «Chimista Argi» y dirigente de la izquierda local. Ramón fue encarcelado los primeros días del alzamiento, y encerrado siete meses en el minúsculo calabozo del cuartel de Santesteban, antes de ser expulsado del pueblo. Es muy posible que compartiera celda con Pío Baroja, detenido allí esos mismos días, como veremos. Petra se quedó sola y señalada, con sus seis hijos, y a las cinco de la mañana se levantaba a trabajar las huertas de Miguel Taberna, *Miguelito*, el dueño también de la casa de Juana Josefa. No se llevaba bien con su hermana porque decía que Juana Josefa se había llevado la mayor parte de la herencia familiar y la habían dilapidado, pero ayudó a sus sobrinos en lo que pudo. Solían ir a su casa a quitarse el hambre y, de hecho, los vio hasta el último día. Martina le pidió quedarse en su casa y ella, con el marido en la cárcel y su propia prole, le dijo que no podía. Siempre se arrepintió de ello. Un día los sobrinos ya no se presentaron. Teodora Larraburu les dio la noticia. «Al menos Martinica se hubiera salvado» recordó siempre.[37]

Expulsada la familia de Petra de Doneztebe, y Teodora de Gaztelu, las dos mujeres acabaron viviendo en Donostia, donde siguieron compartiendo la amistad, los recuerdos y las lágrimas.

Para acabar con las diligencias de aquel agitado mes, el día 21 el juez de instrucción García-Rodrigo se dirigió a la boca de la sima «próxima a unos postes de conducción de la luz», para realizar una inspección ocular. Todo Gaztelu estaba nervioso, pendiente del trajín de coches con gente extraña y trajeada, que parecía que no iban a dejar en paz el pueblo. En la boca del *zulo*, Pedro Sagardía estaba presente. El acta constató que la entrada se hallaba tapada «con abundante ramaje, en evitación de que por ella se despeñe el ganado». Tenía forma alargada y estrecha, con dos metros escasos de anchura y unos tres metros de largo. Echaron algunas piedras como de 4 kilos de peso y tardaron unos 7-8 segundos en llegar al fondo, después de oír varias veces chocar con las paredes. Con una piedra y una cuerda se midió la profundidad: entre 47 y 50 metros. Echaron otra cuerda con garfios y no sacaron nada. Eso sí, vieron los restos de la txabola quemada. Firmaron el acta el juez, Sagardía, Casimiro Oyarzábal y Lorenzo Oyarzábal.

Gaztelu respiró aliviado. Si allí abajo no había nada, el pueblo recobraría su buena fama; volvería la paz a las conciencias. Y si había algo, algunos estarían celebrando su buena fortuna por no haberse encontrado.

Zubizarreta, comandante de puesto

El día 11 de octubre de 1937, el juez se dirigió al comandante de puesto de Santesteban, ordenándole investigar el paradero de la familia; último día en el que fueron vistos; dónde vivían; datos de la txabola del monte; quién y por qué se les expulsó del pueblo; si alguien los había visto después del 30 de agosto; fundamento «del rumor que corre por Santesteban, Gaztelu, Donamaría y Legasa de haber sido arrojados violentamente a la sima de Legarrea»; si Juana Josefa tenía enemistades manifiestas; si practicó averiguaciones sobre el incendio de la choza y sus autores. Por último, la prueba clave: si se llevaba en el cuartel relación de los vecinos que prestaban servicio de vigilancia en Gaztelu y Donamaria, y en caso afirmativo, que comunicase los nombres de los que estaban el día 30 de agosto de 1936, en particular durante la noche.

Las miradas del Juzgado estaban puestas en un sargento de la Guardia Civil de origen vasco, llamado Gregorio Zubizarreta Gastesi. Poco sabemos de él. En 1928 le habían colocado la Cruz de Beneficencia para «premiar los arriesgados servicios» como jefe de puesto en Aoiz.[38] Y ya como comandante de puesto de Santesteban, en los primeros momentos de la guerra civil, dijo el *ABC* que se encontraba al frente de un grupo de requetés en el puente de Baztán, en la carretera hacia Irún, cuando llegó al control don Pío Baroja, en un viejo automóvil, camino de su casa de Bera. Fue detenido y «en este mismo momento don Gregorio se hizo responsable de la seguridad personal de tan ilustre personaje hasta que el General Mola dispuso de él, evitando con todo ello que los nobles y bravos requetés, algo rudos en modales, conocedores de su obra literaria un tanto discordante con el carlismo, le hubieran ocasionado algún disgusto».[39] Esto es lo que quizá contó

Zubizarreta a su hijo, que fue según parece quien escribió la nota del ABC. En realidad, Baroja fue detenido por los requetés el día 23 de julio y llevado junto a la casa *Bidartea* en Narbarte, donde estuvo a punto de ser fusilado. Lo llevaron luego a Santesteban y los requetés lo pusieron en manos de la Guardia Civil. Ergo, en manos de Zubizarreta, que al día siguiente recibió la orden de ponerlo en libertad. Así que, en este episodio literario, el sargento tuvo un papel mucho más prosaico.[40]

El día 17 de octubre, Zubizarreta presentó una airada declaración ante sus superiores de Pamplona, la más áspera de todas las presentadas contra la cuitada familia:

> *«Se han practicado y se practican las más activas gestiones para averiguar el paradero de la esposa e hijos de Pedro Sagardía. (...) Según el resultado de las mismas, parece ser que el último día que los vieron fue el 29 de agosto de 1936, aunque la vecina que fue del pueblo de Gaztelu, que era íntima de la Juana Josefa y hoy residente en Elgorriaga, asegura que ella estuvo con la dicha Juana el día siguiente, o sea el 30; dice así mismo que habló con ella y ésta le manifestó que estaba de hambre y completamente abandonada de su marido, que tenía un hijo enfermo y en fin, que estaba desesperada y había pensado ir al pueblo de Donamaría para entrevistarse con el alcalde y exponerle el caso, y decirle además que qué iba a hacer con los hijos; que la habían echado de la casa pues hacía tiempo que no pagaba, por no poder, el alquiler.*
>
> *A la sazón se hallaba cobijada en una choza construida con ramajes en las afueras del pueblo.*
>
> *La tal Juana Josefa, era de vida irregular, ladrona de gallinas, frutos del campo, todo ello debido sin duda al completo abandono en que hacía muchísimo tiempo la*

tenía su marido Pedro Sagardía, por lo que se encontraba en la miseria y recurría a ello, obligando también a que lo hiciesen sus hijos mayores, para de esa forma poder comer. Y cuando sus convecinos la reprochaban sus actos, por regla general al día siguiente aparecía talada alguna huerta del pueblo, sospechándose fuese ella la autora. En vista de lo cual tuvieron una reunión a la que invitaron a la referida Juana Josefa, y allí le hicieron confesar sus fechorías y parece le conminaron a que abandonase el pueblo o le denunciarían a las autoridades, cosa que no lo habían hecho todavía por lástima. Esta reunión debió tener lugar hacia el 11 de junio del expresado año. En vista de esto, la repetida Juana bajó a Santesteban y se entrevistó con D. Miguel Taberna, dueño de la casa en que aquella vivía en Gaztelu y le expuso el caso, a lo que aquel le preguntó quién la expulsaba del pueblo. "Las autoridades" contestó ella. "Pues si te expulsan las autoridades, tendrás que irte". Entonces la interesada le dijo, "yo creo que si V. me da una recomendación para el comandante del puesto de la Guardia Civil de Santesteban, conseguiré que no me tiren de la casa", a lo que replicó el señor Taberna, "Si te expulsan las autoridades, vete de la casa, yo no quiero líos". Esto de pedirle la recomendación del que suscribe, debió obedecer a que la Juana Josefa debió enterarse que antes más los del pueblo trataron de expulsarla por su cuenta y riesgo, y llegado a mis oídos esto les recomendé no lo hicieran, pues nadie debía tomarse la justicia por su mano, y que si tenían motivos para no soportar dicha familia en el pueblo, se dirigiesen con una instancia al Excmo. señor Gobernador Civil, exponiéndole todo y si dicha autoridad acordaba su expulsión bien, pero que ellos no eran nadie para tomar tal medida, aunque fuere el Ayuntamiento.

El vecino de Legasa, Lorenzo Irigoyen, insiste en que vio a Juana Josefa Goñi, el día 4 o 5 de septiembre siguiente, cuando en compañía de un hijo se dirigía por la vía férrea, en las inmediaciones de Legasa y con dirección de Elizondo; el vecino de Santesteban, D. Simón Sanz, me aseguró hace tiempo (...) que él la vio a la ya tan repetida Juana Josefa Goñi, en las cercanías de Pamplona, al empezar a bajar la cuesta llamada de Beloso, cuando venía a su casa con el camión de su propiedad, y en dirección de Villava; no recuerda la fecha exacta, pero sí asegura que era después del 20 de septiembre de dicho año (...) y que mentalmente hizo este juicio: "dónde andará esta fulana" o algo parecido, pues también la conoce por su conducta, como la inmensa mayoría de estos contornos, nada recomendable. Recientemente interrogué a dicho señor Sanz, el cual insiste en que para él, era la Juana Josefa la que vio; pero al pasar tanto tiempo y como ha oído los rumores que corren acerca de ella y sus hijos, le entra la duda. Requerido para que diga si en conciencia en aquel momento le pareció que era ella, dice que sí, que para él era la repetida Juana Josefa Goñi, esposa de Pedro Sagardía o "Sagardi", como por aquí se le nombra, y que estuvo tentado de hablarle, pero como con ella lo había hecho muy pocas veces, no se decidió y continuó la marcha de su vehículo.

(...) El juicio que al que suscribe le merecen esos rumores, por su cuenta y por los informes adquiridos, es que no tienen fundamento. Todos dicen que eso es imposible y que más bien esa mujer, hostigada por la necesidad, el abandono de su marido, (que era completo, pues a mí mismo me dijo el Sagardía, que no quería saber una palabra de su familia, y en el pueblo le han oído decir más de una vez que aquellos hijos no eran

suyos y que los repudiaba, así como que a su mujer, a la que cuando con ella vivía le propinaba buenas palizas), tal vez se haya marchado y hasta se apunta la idea de que lo haya hecho a Francia. Los rumores no se pueden evitar en esos pueblos, dada su forma de ser y durará mientras no se reconozca, de una vez, la sima de referencia, única manera de ver lo que hay de cierto, que muy bien pudiera ser una fábula.

En cuanto a enemistades que pudiera tener, ya quedan expuestas, por lo que se refiere a Gaztelu y en los demás pueblos se le tenía en mal concepto, así que estaba ella y su familia, muy mal conceptuada.

El que suscribe no tuvo en absoluto, conocimiento de esos rumores, hasta agosto de este año, hacia el día 16, en que se presentó el Pedro Sagardía en esta villa y se enteró que andaba por las tabernas diciendo que en el frente se había enterado de que habían matado a su familia y tirado a la sima de "Legarrea", y que venía para ver si era verdad. Inmediatamente salí en su busca, encontrándolo en el estanco. Interrogado, no me quiso decir la causa de su venida y entonces le pedí el pase o autorización debida para llegar hasta aquí y me dijo que lo tenía en Ituren; invitándole a que fuera por él y lo presentara, se marchó y todavía no ha vuelto. El 20 de dicho mes de agosto, recibió el firmante una comunicación del Comandante del puesto de Aoiz, en la que el Jefe del Tercio de Requetés, Santiago nº 8, ordenaba la incorporación del requeté Pedro Sagardía y no se le pudo comunicar, por haberse ausentado ya.

Inmediatamente de tener conocimiento de dichos rumores, se personó el que suscribe en el pueblo de Donamaría y entrevistóse con el Juez municipal y Secretario, diciéndoles lo que había oído y me contestaron que ellos ya habían oído antes dichos rumores, pero que no habían hecho caso por considerarlos absurdos. No obstante, les dije que era conveniente hacer algo para salir de dudas y les convencí para que me acompañaran a Gaztelu, pues de lo contrario iría solo.

Nos personamos los tres en dicho pueblo e interrogamos en sentido particular a bastantes vecinos que en él se hallaban, tranquilamente, juntamente con el cura párroco, jugando a pelota. Todos unánimes se mostraron extrañados de que se le diese importancia a aquello, no arrojando luz alguna lo manifestado por los mismos; a continuación nos dirigimos adonde estuvo la choza, que parece ser estaba formada con ramaje, pudiendo ver rastros de haberse quemado; seguidamente subimos hasta la sima "Legarrea" y allí no había señales de nada, habiendo podido comprobar que nadie oyó gritos de alarma dados por las supuestas víctimas, ni posteriormente olor, pues es de notar que con frecuencia transita gente por aquel lugar, bien sea para hacer leña, helechos, recogida de castañas, cuidado de ganado...

Es también muy significativo, que conocido como es por todo el vecindario de Gaztelu los rumores citados, saben que se ha personado el señor Juez de Instrucción en dicho pueblo, se instruye sumario, se practican gestiones por la Guardia Civil..., y sin embargo, esta es la fecha que no falta ni ha faltado nadie del pueblo y que dado el hecho por supuesto, tuvo que intervenir más de una persona, lo que hace difícil mantener el secreto, prueba que, o son muy cínicos, pues no ignorarán la tremenda responsabilidad en que incurren los que hubieran sido autores de tan terrible drama, o son completamente inocentes.

La lista del servicio la llevaba el alguacil del pueblo y en esta no se señala el día que cada uno lo prestaba, por lo que no se ha podido averiguar, después de tanto tiempo, quien estuviera de guardia la noche del 30 de agosto de 1936. Se cursaron oficios a los pueblos limítrofes para averiguar el paradero de esa familia y al de Eugui el 19 de agosto de 1936; hasta la fecha sin resultado.

Santesteban 17 octubre 1937
Segundo Año Triunfal
El Comandante del puesto
Gregorio Zubizarreta Gastesi».

Hagamos un alto en la declaración del barojiano sargento de la Guardia Civil. Pone en boca de la amiga «íntima» (suponemos que Teodora Larraburu) de Juana Josefa, que el día 30 de agosto se encontraba «de hambre y completamente abandonada de su marido» y, sin embargo, el sargento oculta que él mismo había detenido arbitrariamente al marido desde mediados de mes, durante seis días (ocho según otras fuentes), impidiéndole ir a socorrer a su familia y echándole del pueblo a continuación. La expulsión de la casa y la posterior desaparición de la familia están perfectamente sincronizadas con la detención arbitraria del marido primero y su expulsión después. Sería ingenuo pensar en la casualidad. Por lo tanto, el abandono último de Juana Josefa y sus hijos tenía un responsable principal: el cínico comandante de puesto.

Además, sus opiniones sobre Juana Josefa son abyectas, tratándose de una mujer de la que él mismo informa que estaba de hambre y con hijos enfermos, que no podía defenderse y a la que se daba por asesinada. Según él, amén de ladrona, era «de vida irregular», una «fulana», de conducta «nada recomendable» y «muy mal conceptuada». Salvo lo de los robos, el resto de las acusaciones que aparecen en el sumario, incluso la de las talas o los malos tratos, solo las hace el sargento. Zubizarreta mintió cuando dijo que la echaron de casa por no pagar el alquiler, y cuida muy bien de salvar su responsabilidad, diciendo que les había dicho a los del pueblo que no la podían echar, cuando estos sostenían todo lo contrario. Según el sargento, uno la había visto en Legasa, otro en Pamplona, otros dicen en Francia... El tiempo demostrará que todas esas declaraciones eran falsas.

Fuera cierta o no, es terrorífica su declaración de que en Gaztelu «todos unánimes», incluido el cura, se mostraran extrañados de que «se le diese importancia» a la desaparición de una madre con seis hijos. Mucho menos era creíble que el principal poder fáctico de la zona, dueño y señor de un territorio en estado de guerra, no tuviera, hasta el regreso de Sagardía un año más tarde, «conocimiento de los rumores» sobre el posible fin de la familia, algo que, como en las diligencias se estaba viendo, era *vox populi* en Malerreka.

Llama la atención la suma delicadeza con la que el sargento Gregorio Zubizarreta procedió en los interrogatorios para indagar sobre los siete presuntos asesinatos. Todo cuanto se conoce en el País Vasco sobre los métodos de la Guardia Civil, antes de la guerra, durante, después y hasta nuestro presente, parece la antípoda del comportamiento de aquel sargento de Santesteban, capaz de presentarse afable en el frontón de Gaztelu, donde «tranquilamente» se hallaban numerosos vecinos jugando a pelota, cura incluido. Lejos de llevarlos al cuartel, separarlos entre sí, indagar sus contradicciones, amenazarles con los riesgos legales que corrían, etc. –por no hablar de otros medios más contundentes y habituales– el sargento se conformó con que en la misma cancha, entre tanto y tanto, le dijeran extrañados «¡Pero don Gregorio, cómo puede usted darle importancia a eso!». Y a eso se limitaron los interrogatorios de la Guardia Civil. Todas las declaraciones de testigos que aparecen firmadas en el sumario, fueron realizadas ante el juez.

Mucha más preocupación mostró el sargento por el hecho de que Pedro Sagardía, de permiso en el frente, anduviera hablando por las tabernas del tema, y de ahí su interés en que le mostrara su permiso y se marchara. Y es significativo que Sagardía no quisiera decirle nada al guardia civil sobre las pesquisas que estaba haciendo, lo que muestra la falta de confianza que tenía en la máxima autoridad policial de la zona.

Lo más importante para la investigación, la lista de los que estaban de guardia la noche de marras, existía, según parece deducirse de la declaración del sargento, pero en ella no se indicaba los días que estaba de guardia cada uno. En lo único que coincidía la Guardia Civil con la acusación particular era en la necesidad de inspeccionar la sima, y comprobar si el rumor era fábula o no.

Pese a la negligencia que muestra la Guardia Civil en la investigación del sumario, se nota la presencia de un poder externo que espolea la causa. Porque no es habitual en esas fechas encontrar informes tan largos de la Guardia Civil por los juzgados, cuando se utilizaban los medios más expeditivos para la «limpieza de indeseables» del territorio, y sin mediar papeleo alguno. La Benemérita tuvo un papel relevante en la represión y en los asesinatos en todo el territorio, comenzando con su propio jefe, José Rodríguez Medel, primer muerto «republicano» en Navarra, muerto por sus propios compañeros. Algunos nombres quedaron impresos como latigazos en la memoria popular: el sargento «El Terror» de Lodosa; el brigada Serafín Olcoz en Villafranca y Fitero; el cabo Escalera en la zona de Peralta; el sargento de Mendavia; el comandante de puesto Rufino, en Buñuel; el teniente Arricibita en Baztán... ¡tantos! Fue habitual la presencia de guardias civiles en las detenciones de vecinos y en las ejecuciones; las mujeres rapadas debían presentarse diariamente en los cuarteles con la cabeza descubierta y, en ocasiones, las pasearon por las calles. Los reclutamientos forzados tuvieron en la casa cuartel el banderín de enganche. «O al frente, o al Fuerte» (Ujué); «O Tercio, o frente, o cuneta» (Pitillas); «O al frente, o a la Tejería de Monreal» (Aoiz). Frases que, con numerosas variantes –pistola en el pecho incluida–, se repitieron en muchos lugares, engrosando notablemente el «voluntariado» navarro.[41] ¿Tuvo algo que ver el comandante de puesto de Santesteban con la salida al frente del supuesto «espía» Pedro Sagardía, dejando un drama familiar a sus espaldas? No podemos asegurarlo, pero es más que probable.

Hay otros indicios que pueden explicar ese encubrimiento de Zubizarreta de los vecinos sospechosos y era que, pese a su profesión y cargo, despedía cierto tufo republicano. Había sido amigo de Ramón Zozaya, el izquierdista local y cuñado de Juana Josefa. «Solía venir a casa a comer castañas», recordaba su hija Asun. Cuando Zozaya estaba detenido en el cuartel, el sargento no quiso dejar las llaves del calabozo a los que querían hacer con su amigo una de aquellas famosas «sacas». Y lo más grave, su hermano Benito Zubizarreta era «de filiación comunista y extremista convencido», y andaba con los rojoseparatistas en el frente vasco, por lo que más tarde sería juzgado en Bilbao por un consejo de guerra, que lo condenó a doce años y un día.[42] Hasta su actuación cuando la detención de Pío Baroja podía resultar sospechosa para algunos.

Así pues, el sargento tenía el trasero de paja y es comprensible que intentara evitar que le dieran candela sus propios vecinos. Y a falta de «rojos» en la comarca a los que perseguir, cargó tintas contra la parte más débil, los Sagardía.

La clave, en la sima

Todas las sendas llevaban a Legarrea. «Bien pudiera ser una fábula» había dicho el comandante de puesto, pero a la vez reconocía que hasta que no se examinara, no cesarían los rumores. El 29 de noviembre de 1937, el Cuerpo Nacional de Ingenieros de Minas emitió un informe: aconsejaba que bajaran primero a la sima un farol de aceite, y si no se apagaba, podría bajar una persona con alguna lámpara de acetileno.

El 4 de diciembre, Pedro Sagardía envió una nueva carta al Juzgado, con tonos cada vez más acusadores y dramáticos. Destacaba el rumor, extendido por toda la regata del Bidasoa, de que su familia había sido muerta y arrojada a la sima el último domingo del mes de agosto, esto es, el día 30. «El mismo rumor afirma que esos hechos fueron realizados por las personas que en aquella noche prestaban servicio de guardia, y cierto y comprobado está el hecho del incendio, que puede servir de base para el esclarecimiento del resto». Citaba entre los presentes a los vecinos Melchor Alzugaray, Jesús Gamio, Martín Larraburu y Agustín Grajirena, y añadía que, aunque alguien dijera que había visto a su esposa, lo cierto es que nadie había hablado con ella, «ni se ha afirmado que nadie haya visto a los chicos». Como «denunciante y perjudicadísimo con los hechos» estimaba que debía ser reconocida la sima. Sabedor de las dificultades, decía contar con amigos para ayudar al juez y bajar en su presencia al fondo.

Unos días más tarde, la empresa pamplonesa Construcciones Urroz y San Martín presentó un informe técnico y un presupuesto para entrar en la sima, que tenía 4 x 2,5 metros de abertura. Calculaba que harían falta «1.250 metros cúbicos de madera, con sus tornillos, clavazón, escaleras, cuerda, un cabrestante con 80 m de sirga, 6 faroles, palas, picos, azadas, hachas y cerramiento menudo». Para todo ello calculaba un presupuesto de 1.800 pesetas, siempre que la Autoridad Militar les cediera una camioneta para llevar el material. Advertía de la posible falta de oxígeno, desprendimientos y riesgos en general. «Será difícil encontrar los dos voluntarios bomberos que desciendan a la sima, porque la labor es muy peligrosa y en extremo desagradable».

Diez días más tarde, el juez García-Rodrigo emitía un auto: «dadas las dificultades y peligros que ofrece el reconocimiento de la sima de autos, prescíndase de esta diligencia».[43] La puerta principal de la investigación quedaba cerrada. Temporalmente.

El cura don Justo

El día 21 de febrero de 1938, nuevos vecinos fueron llamados a declarar: Fidel Gamio Larraburu, de 57 años, dijo que era una familia «mal conceptuada», y que «no ha oído nada de que los echaran a ninguna sima», lo cual resultaba difícil de creer, dado el runrún general. Francisco Larraburu Bestizberria, de 78 años, tampoco había oído «ninguno de los rumores de los que se dice corren por el pueblo». Joaquín Ilarregi Gamio, sin embargo, sí que había oído lo de la sima, pero no creía que en el pueblo hubiera «personas capaces de ello». También Martín Larraburu Micheltorena no consideraba «a nadie del pueblo capaz de un crimen de esa naturaleza».

Al día siguiente le tocó declarar a don Justo Ariztia, párroco de Gaztelu, de 37 años, «de estado célibe» según el papel. Juró delante de Dios decir toda la verdad, y a fe que era imposible que no la conociera, en un lugar donde la mayoría de los vecinos se confesaban con él asiduamente. ¿La dijo? Es evidente que no. Y eso que le hubiera resultado sencillo acogerse al secreto de confesión y, simplemente, no decir nada. ¿Por qué no lo hizo? Según él, los expulsaron al considerarlos, «todo el vecindario, indeseables por sus continuas raterías en las huertas, aves de corral y hasta ganado menor». Si el alcalde ordenó la expulsión «fue con el beneplácito y casi a petición de todo el pueblo». ¿Todo? ¿El suyo también? Había oído lo de la txabola y lo de la sima, cosa que no había creído, «en primer término porque sería un crimen monstruoso, y en segundo lugar porque sabía que el vecino de Legasa, Lorenzo Irigoyen, los había visto». Pero el cura célibe fue más allá: declaró que «el mes de diciembre de 1936, vio en Elizondo a Pedro Sagardía, el cual no daba muestra ninguna de sufrimiento por la desaparición de su familia, antes al contrario se mostraba jovial y alegre». Y más aún, había escuchado que Sagardía al principio del Movimiento disponía de bastante dinero y, según, lo obtenía como espía.[44]

Cuesta creer que, pese a su nombre, don Justo tenga un lugar en los cielos, a la derecha del Padre. Su casa, *Apezetxea*, era paredaña con *Arretxea*. Eran sus vecinos, había visto crecer a los niños. Y sin embargo, no hay en su declaración una pizca de piedad por la familia desaparecida, siquiera con los pequeños, a los que no duda en incluirlos bajo la calificación de «indeseables».

Dijo «saber» que un vecino de Legasa los había visto, lo cual resultará ser falso, y además dijo haber visto «jovial y alegre» a Pedro Sagardía en Elizondo, en el mes de diciembre del 36, cuando, según todos los datos, incluido el informe de la Guardia Civil, se encontraba en el frente de Navafría desde finales de octubre. También atribuía a Sagardía disponer de bastante dinero, algo criminal ante las necesidades que pasaba su familia, y para más inri le acusaba de ser espía, que podría ser motivo de fusilamiento en aquellos días, acusación que nadie sostuvo y por lo que no fue ni siquiera interrogado cuando estuvo detenido por la Guardia Civil. Don Justo mintió. No era un hombre justo. Que su Dios le haya perdonado.

Según un rumor, que he recogido en un pueblo del Bidasoa, en aquel tiempo algunos vecinos de Gaztelu dejaron de confesarse en su pueblo y acudían, al menos por Pascua Florida, a hacerlo en los confesionarios de los pueblos colindantes, quién sabe si buscando complicidades, penitencias atenuadas o mejores intermediarios con los cielos. Y otro rumor, este de Donamaria, me habló de otro tipo de confesionarios: «El pueblo cambió de rutinas. Los sábados continuaban yendo a misa, pero no se quedaban a charlar y menos a beber. Evitaban el *Ostatu*».[45] No hay ningún secreto donde reina la embriaguez, había dicho Salomón.

Cierre del sumario y sospechoso suicidio

Las últimas diligencias evaluaron el valor de la txabola. Los carpinteros Cornelio Hualde y Martín Ciganda dijeron que estaba «construida de ramaje y helechos, y carecía de valor alguno». Por último, fue citado a declarar José Martín Sagardía Goñi, el hijo mayor de la familia, pero desde Lekaroz dijeron que «se fue voluntario al Requeté en febrero o marzo».

En realidad, José Martín se había incorporado al tercio «María de las Nieves» el 12 de noviembre de 1936. Así consta en su flamante carnet de «Requetés de Navarra nº 4101», que pudimos conseguir. El mayor de los *Sagardi* luce hermosos sus 18 años, con camisa blanca y abierta, chaqueta y una txapela que apenas cubre su frente amplia, sobre unos ojos de mirada triste. Nariz prolongada, boca hundida, orejas grandes y mentón prominente, parecía el prototipo de la gente del país, que para entonces ya habían hecho canónico los cuadros de Arrue, Arteta o Ziga. Valga este repaso a su fisonomía porque es la muestra gráfica más cercana que tenemos de la familia desaparecida, y sobre sus rasgos podemos intentar reconstruir los de sus padres y hermanos. Eran gente de la tierra, de apariencia sana y lustrosa.

Por fin, el 30 de marzo de 1938, el juez declaró concluido el sumario. En el enunciado hablaba de una familia «a la que el vecindario de Gaztelu hizo salir del pueblo por sus raterías en propiedades ajenas». Nada más. El sumario pasó a la Audiencia, donde el fiscal solicitó «el sobreseimiento provisional, de conformidad con el nº 1 del artículo 641 de la Ley de enjuiciamiento criminal». Tenían ganas de enterrar, de una vez por todas, el engorroso sumario 167.

El 28 de abril intentaron comunicárselo a Pedro Sagardía, pero este se hallaba en paradero desconocido. El 18 de agosto, su abogado Joaquín María Uribarri compareció para explicar que «a pesar de las múltiples gestiones que he realizado no he podido localizarlo, si bien espero conseguirlo y ponerlo en conocimiento del Juzgado». Por fin, el 7 de noviembre, Sagardía firmó el enterado.[46] Habían transcurrido siete meses y medio sin noticias de él en el Juzgado.

Es cierto que seguía movilizado, y es posible que la guerra se lo hubiera tragado, pero tanto tiempo sin noticias parece sugerir cierta negligencia por su parte o por la de su abogado. Con el acusador ausente, el fiscal y los jueces deseando dar el carpetazo, y las autoridades molestas, de nuevo tenemos que suponer que solo la sombra agigantada del general Sagardía, que a la sazón cercaba Catalunya por el frente del Segre, sostuvo a distancia la causa 167.

Una semana más tarde, la acusación particular se dirigió a la sala con ímpetu renovado. Pedro Sagardía afirmaba que había llegado a sus oídos que su familia, «constituida por su mujer (embarazada de siete meses) y seis hijos de 16, 14, 10, 9, 5 y dos años, había sido asesinada y arrojada a la sima de Legarrea». Y ante la petición de sobreseimiento solicitado por el fiscal, formulaba el deseo de ser «parte acusadora, designando al efecto de mi representación al Sr. Licenciado D. Joaquín Mª Urisarri y como procurador a Vicente San Julián Olaso». Era la primera vez que se conocía en el sumario que Juana Josefa estaba en avanzado estado de gestación, lo que añadía una palada más de inhumanidad al caso. Algunos testimonios orales que recogimos ocho décadas después en la romería de Santa Leocadia, no habían olvidado ese detalle.

A primeros de diciembre, el procurador solicitó que se revocase el auto de terminación del sumario, así como la ampliación de declaraciones de Teodora Larraburu, Taberna, Alzugaray, Irurita, Sarratea y Grajirena, pidiéndoles datos acerca de la salida de la familia; quién recogió la llave; cómo quedó la casa; por qué la habían vuelto a arrendar; dónde estaban los muebles; si estaban al corriente de pago y el listado de los que hacían guardia el 30 de agosto de 1936. Pedía también ampliar el informe de la Guardia Civil, «en el sentido de a quién o quiénes mandó que no expulsasen a la familia del pueblo, y que manifieste los hechos en los que basa su afirmación de la vida irregular de la familia Sagardía». Por último la prueba clave: que tan pronto como lo permitiese el tiempo, se procediera al reconocimiento de la sima Legarrea, «pudiéndose utilizar personas que se encuentran decididos a efectuarla».

Ante esta demanda, el 13 de enero de 1939, la sala decidió la revocación del auto del 30 de marzo anterior, que declaraba concluso el sumario, y lo devolvió al Juez de Instrucción para la práctica de las diligencias solicitadas. El tema iba para largo.[47]

Quizás un suceso condicionó la decisión de continuar las investigaciones: el 23 de junio de 1938, mientras buscaban al desaparecido Sagardía, una noticia estremeció Gaztelu. A las seis y media de la tarde, Agustín Irurita Indart, soltero de 35 años, apareció ahorcado en la cuadra *Guillenborda*. «Asfixia por suspensión y congestión cerebral», escribió el amanuense del Juzgado. Irurita estaba en el centro de la acusación; había reconocido que, junto a Alzugaray, detuvo a Pedro Sagardía por «espionaje»; era de los que «invitaron» a la familia a abandonar el pueblo. Un año después se ahorcaba. Era inevitable relacionar los hechos. No había podido soportar la tensión. Si era inocente, por serlo. Si tenía alguna culpa, por lo mismo.

De cualquier forma, el suicidio de un sospechoso reforzaba las argumentaciones de la acusación particular, y pudo ayudar a la continuidad del proceso. Curiosamente, en las declaraciones posteriores nadie carga culpas sobre él, ahora que ya no podían imputarle. Quedaba claro que la responsabilidad, o era de todos, o de nadie.

La Guardia Civil acusa

El día 24 de enero de 1939, comunicaron a Zubizarreta, comandante de puesto, la decisión del juez de ampliar su declaración. No debió hacerle ninguna gracia, y días después envió una nueva carta, más agria todavía que la anterior. En ella decía que quienes le pidieron la expulsión fueron el alcalde Alzugaray y el concejal Sarratea. En cuanto a los hechos en los que se basaba para afirmar la irregularidad en la conducta de la familia, Zubizarreta decía «haberle visto borracho incontables veces, pues lo es habitual, cosa que fácilmente puede comprobarse pues es público en esta villa, y lo mismo en los pueblos de Oiz, Donamaría-Gaztelu, así como en todos los de este contorno; en los primeros por haber residido en ellos dicha familia». Además, eran «de condición rateros y lo mismo los hijos, a quienes obligaba a ello su madre; en este puesto hay tres guardias que llevan más de 20 años en él y aseguran lo mismo, así como que han tenido que practicar registros en casa de dicha familia a consecuencia de raterías practicadas; dichos guardias se llaman Agustín Clemente, Claudio Santamaría y Sebas Salamanca».

Según el sargento, Sagardía era además «de condición pendenciero». Había tenido dos juicios de faltas anteriormente: uno en 21 de enero de 1920, por injurias a un convecino, y otro el 8 de marzo del mismo año por insultos y amenazar con una escopeta a otro convecino, «por lo que fue condenado a 5 días de arresto y pago de costas, y puede asegurarse que no era denunciado siempre que lo merecía, porque tenían miedo a represalias del Sagardía».

Por lo que respecta a su esposa, «la repudiaba, así como a sus hijos, diciendo que no eran suyos; es de suponer que tendría sus motivos el Sagardía para pensar así, pues no se recataba en decirlo en público ante todo el pueblo de Gaztelu que lo oyó. Incluso al cura párroco D. Justo Ariztia, y al firmante, también les llegó a decir lo mismo, una vez que le indiqué que llamara la atención a su esposa, pues estaba recibiendo quejas de que ella y sus hijos cometían raterías, y contestó que no quería saber nada de su familia, de la que hacía tiempo estaba alejado, y que se iba a ir voluntario al frente antes de vivir con su mujer, con la que en cuanto se veían sostenían grandes peloteras, como ocurrió el 14 de agosto de 1936, ante todo el vecindario y de la que fue testigo el expresado D. Justo, dirigiendo toda clase de insultos el Pedro a su esposa, con palabras soeces, entre ellas la de "puta", y rechazando a sus hijos cuando en ademán de súplica recurrían a él en esta ocasión. Por todo lo expuesto, el que suscribe, en calidad de Comandante de este puesto, afirma que la conducta de dicha familia es pésima y que la reputación pública de la misma por todos estos pueblos, es ínfima. Tercer Año Triunfal».[48]

La declaración de Zubizarreta aporta nuevos datos: ahora resulta que Pedro era borracho y pendenciero, aunque de las peleas de las que le acusaban habían pasado 19 años. Un vecino le dio dos bofetadas, Pedro fue a por la escopeta y le retó a salir. En eso quedó todo.[49] Cosas de jóvenes. Desde entonces, Pedro no había tenido ninguna denuncia más. Deducir de eso que era «de condición pendenciero» era mucho decir. Más grave era la acusación de que repudiaba, pegaba a su mujer y la llamaba «puta» públicamente. Incluso se marchaba a la guerra voluntario «antes de vivir» con ella. Y como ejemplo de esto, afirmaba que fue el 14 de agosto de 1936 cuando tuvieron una gran pelotera delante «de todo el vecindario», de la que fue testigo el cura. Sin embargo, eso no puede ser cierto, al menos ese día: sabemos que a primeros de agosto Pedro se encontraba trabajando en los montes de Eugi, y que con posterioridad ya no había visto a su familia. En el sumario se dará por probado que el 13 ó 14 de agosto tuvo lugar el *batzarre* donde decidieron la expulsión, y que le dieron 48 horas a Juana Josefa para avisar a su marido y que volviera del monte. Avisado este, se presentó en el pueblo y lo detuvieron nada más llegar. Sin dejarle ver a la familia –lo que remarcan varios testimonios–, el propio Zubizarreta lo tuvo preso varios días y le obligó a no regresar a Gaztelu. Resulta elocuente que ningún vecino cercano de Gaztelu, ni de Donamaria, declarase nada sobre peleas familiares, y sí lo hiciera el Comandante de puesto de Santesteban. Y que citara, como fecha de una riña, el único día del año que, según el sumario, Sagardía no pudo estar con su esposa, porque el propio sargento lo tenía detenido en sus calabozos. La declaración de Zubizarreta era mendaz. ¿Se equivocó de fecha? ¿Solamente se equivocó en eso?

Es curioso que muchos testimonios, incluido el del cura, coincidan en lo de las raterías de la familia, pero no añadan ninguna otra acusación. Solo el comandante de puesto introduce imputaciones y adjetivos diferentes: borracho, pendenciero, cornudo y maltratador, para él; fulana, puta, mujer irregular y nada recomendable, para ella.

Esta inquina del guardia civil no pasó desapercibida para el abogado de Pedro que, en escrito posterior, llegó a considerarlas una «justificación del crimen».

¿Y si hubiera otras motivaciones?

Siquiera como hipótesis debemos barajar esa posibilidad. Es evidente que aquel drama, si realmente ocurrió, no puede entenderse sin el ambiente perverso y enloquecido de los días iniciales de la guerra, donde toda Navarra era un paredón de fusilamiento. Pero la motivación principal no se cree que fuera política, por más que inicialmente acusaran a *Sagardi* de espía y Juana Josefa tuviera el cuñado preso por republicano.

Tampoco lo de los robos explica una solución final tan desalmada. Los vecinos hablaban de algunas verduras, patatas, algo de leña, gallinas y alguna oveja, pero nadie reconoció haberlo visto, ni se presentó denuncia formal alguna. La Guardia Civil dijo que en alguna ocasión registraron su casa, pero no que encontraran nada robado, algo que no omitirían de ser así. Nadie hablaba de grandes cantidades, raterías coinciden todos. «Sin que nunca se pudiera comprobar», confesó Grajirena. «Ella negó los hechos», dijo Teodora.

Y vale la pena recordar el contexto: centenares de navarros habían escapado de los pueblos para eludir ser detenidos en los primeros momentos del golpe militar. Muchos más huyeron cuando corrió la noticia de los primeros fusilamientos. Para eso eran las guardias en los pueblos. Unos lo intentaron por el este, para alcanzar la Cataluña republicana. Otros hacia el norte, hacia la frontera francesa. La línea recta entre Pamplona y Hendaya pasa junto a Gaztelu. ¿Cuántos fugitivos de la capital, de la Zona Media o de la Ribera, cruzaron el valle de Ultzama y deambularon por esa zona aquel primer mes de guerra? Algunos fueron fusilados cuando huían. ¿Y de qué se alimentaban? ¿Tan raro es suponer que algunas de aquellas patatas y gallinas no acabaran precisamente en el puchero de Juana Josefa?

Además, en esos primeros días de esfuerzo extremo, los mayores expolios a los habitantes de la zona los realizaban los militares y movilizados al inmediato frente de Gipuzkoa, con requisas de vehículos y animales de tracción, enseres, alimentos para las tropas y mano de obra. En el archivo municipal de Donamaria y Gaztelu abundan requerimientos del gobernador civil, Francisco de la Rocha: unos incautando el tocino, la cebada y la paja de los pueblos «para atenciones militares»; otros requisando el carbón y la chatarra. Incluso, dado que no había obtenido «el resultado que era de esperar del patriotismo de los navarros» para que entregaran toda la plata amonedada, el Gobernador ordenó a los alcaldes registrar los domicilios.[50] De ser ciertas, las raterías de Juana Josefa y de sus hijos eran el menor de los expolios que sufría Gaztelu.

Y si algo tienen los pueblos vascos es una larga tradición de beneficencia. Si por móvil religioso, no hacía falta que el cura apelase desde el púlpito a la caridad cristiana: desde antiguo a los mendigos se les llamaba en euskera *«Jainkoarenak»* («los de Dios»), porque se creía que el mismo Jesús se disfrazaba de mendicante para probar a los humanos. Si por móvil civil, los bienes comunales siempre respondieron a esas necesidades, y más en tiempos tormentosos. Juana Josefa y sus hijos eran nativos del pueblo, tenían sus derechos consuetudinarios, de leña, de pasto, de helechos, de castañas. Vecinos de Gaztelu habían bajado a la Ribera a trabajar voluntariamente en las cosechas de los desplazados al frente. ¿Cómo no iban a ayudar a necesidades más cercanas? Aun suponiendo que fuera cierto lo de las raterías, estas no explican, ni de lejos, la monstruosidad de su desaparición. Exploremos otras posibilidades, siquiera por piedad con los posibles culpables. Suponer que hubo otros motivos, o una mezcla de todos ellos, es el único atenuante que nos queda.

¿El alcohol? Pudo ser un estimulante, pero no un móvil. Algunos informantes nos hablaron de una gran borrachera colectiva de domingo a la noche, y es seguro que, si ocurrió lo que se dice, algunos tuvieron que necesitar un trago de más. ¿También pudo ser un excitante el hecho de que el 30 de agosto de 1936 hubiera luna llena?

Algunos psiquiatras están convencidos de esa relación del plenilunio con ciertos estallidos de violencia y ensañamiento. Pero al contrario que ocurre con el alcohol, nunca un juzgado ha considerado una fase lunar como atenuante de un crimen. Más probadas están las reacciones de agresividad colectiva que, por contagio ambiental o por liderazgo nocivo, arrastran a un grupo hasta donde nunca se llegaría en solitario. Pero como en el caso anterior, sirve como explicación, nunca como atenuante.

Hay una hipótesis más que, basada en un testimonio, ha sido novelada por Elixabet Badiola, en su primera obra: la envidia. Según ese testimonio recogido por la autora, una solterona envidiaba la belleza y la fecundidad de Juana Josefa, hasta extremos obsesivos. Por otra parte, esta mujer trabajaba para la compañía de la luz y había descubierto diversas trampas que puenteaban los contadores, por lo que tenía atrapados a varios vecinos a los que chantajeó. Juana Josefa habría sido el pago de su silencio. Y a partir de entonces un nuevo silencio se impuso en el pueblo, estimulado por quien mejor conocía todos los pecados del lugar: «Lo mejor es mantener silencio sobre esta noche –dice el cura en la novela–. Las palabras dan existencia a los actos. Si no hay palabras nada existe. En este pueblo no sabemos nadie nada y siempre será así».[51]

Sin negar el poder mortífero de la envidia, hay otro pecado capital que lo supera: la lujuria. Juana Josefa «era muy guapa», se comenta todavía en las romerías a Santa Leocadia. Su sobrina Asun, que la conoció, nos dijo que «era preciosa, alta rubia, de ojos azules».[52] Y en el sumario llaman la atención algunas declaraciones: «vestía bien» dijeron algunos; «estaba de buen ver» declaró otro. «Dónde andará esta fulana [recogió el sargento de la Guardia Civil] o algo parecido, pues también la conoce por su conducta... nada recomendable». ¿Conducta de fulana? Nada lo indica, salvo el informe del sargento, que insiste en que su propio marido la llamaba «puta» y que los hijos no eran del padre. «Decían que José, el hijo pequeño, era de su antiguo pretendiente, el tratante Luis Francés», nos dijo su sobrina Asun. Además, Juana Josefa se había casado preñada de seis meses. ¿Cómo olvidarlo? Estaba estigmatizada desde soltera. Llama poderosamente la atención que el mismo párroco justificara la expulsión, siendo los robos, como mucho, pecados veniales, dada la necesidad. ¿O quería alejar la tentación de otros «pecados» mayores?

No hay un solo dato que indique que Juana Josefa fuera una mala madre, sino todo lo contrario: no se separó de su camada hasta el final; luchó por mantener la casa; llamó a su marido; negó los hechos, según dijo la única mujer presente en la junta; suplicó repetidamente que la dejaran en la casa; no quiso alejarse del pueblo; levantó una choza y esperó junto a sus hijos su destino. Que fuera o no una esposa fiel, solo lo pone en duda, de modo soez, el sargento de la Guardia Civil.

Y, sin embargo, hay muchos más indicios de que en torno a una mujer joven, muy atractiva, sola y cargada de hijos, algunos hombres, comenzando por el sargento, estuvieran empeñados en mancillarle la honra como mujer, y dar por hecho su infidelidad como esposa. ¿Y por qué no pensar que obraban así por despecho?

«Eso no es así y día llegará en que lo veremos» dirá la defensa de Sagardía. Pero ese día no llegó.

Y como última motivación, vale la pena detenerse de nuevo en la sangría que vivía Navarra aquel primer mes y medio de guerra. Entre el 19 de julio, día del golpe militar, y el 30 de agosto, día de autos, se produjo el mayor número de asesinatos en la retaguardia navarra, casi la mitad del total. Con una media de 20-30 asesinados al día, destacan las masacres uncidas a importantes fiestas religiosas: la del 25 de julio, día de Santiago; la del 15 de agosto, Virgen de la Asunción, o la del 23 de agosto, celebración en Pamplona de la procesión en honor a Santa María la Real del Sagrario, mientras sacaban de la cárcel a 52 irunsemes y los fusilaban en Valcaldera.

Entretanto, los pueblos de Malerreka continuaban en pie de guerra, vigilando arma en brazo los pueblos, la frontera y el frente guipuzcoano, pero con cierta quietud y sin la persecución cainita que se oía de otras partes. En agosto apenas había llegado la noticia de la muerte de un emigrante en Bera, de otro fusilado en Goitzueta y de un chaval de 15 años en Beintza-Labaien. No se tenía noticia alguna de asesinatos de vecinos en todo Baztán, ni en Bertizarana, ni en la mayor parte de Bortziriak y Malerreka.

Sin embargo llegaban nítidos los ecos de la locura externa, donde todo eran proclamas a la «limpieza» de la retaguardia. El *Bando* de Mola seguía ornamentando las paredes, recordando que «había que mantener el orden, no solamente en sus apariencias externas, sino en su misma esencia (...). El restablecimiento del principio de Autoridad exige inexcusablemente que los castigos sean ejemplares, por la seriedad con que se impondrán y la rapidez que se llevarán a cabo, sin titubeos ni vacilaciones». El partido Unión Navarra, que dirigía Rafael Aizpún, animaba desde la prensa «a desalojar de sus guaridas a todos los elementos indeseables».[53]

¿Y qué «indeseables» había en Gaztelu, si en las últimas elecciones casi todos los votos habían sido precisamente para Rafael Aizpún y ni uno solo para el Frente Popular? Así que, hostigados por los militares para la caza de rojos; excitados, ora la radio ora el púlpito, por la propaganda bélica; anhelantes de una participación más activa en una Santa Cruzada en la que la Religión peligraba y, sobre todo, aburridos de hacer guardias de día y de noche, con el dedo en el gatillo, en una cacería sin sentido, determinó que algunos empezaran a rebajar el tamaño de sus presas y otearan el coto más cercano. Y allí estaban, como unos roedores desprotegidos, los Sagardía Goñi. La pobreza siempre tuvo cara de hereje. No eran rojos, pero se parecían algo. Además el cuñado de Juana Josefa estaba preso. Si en otros pueblos lo estaban haciendo, en Gaztelu ¿por qué no? Y alguien, estribado en mil pequeñas excusas, se atrevió a dar el gran salto.

Se estrecha el cerco

En el mes de febrero de 1939 se reanudaron las declaraciones. Pedro Sagardía vivía entonces en Pamplona, y consiguió que el Juzgado lo declarase pobre, y le autorizara acogerse a los beneficios de la ley para tener justicia gratuita. ¿Un menesteroso, acogido a la beneficencia judicial, en un juicio de esa envergadura y en un momento de ausencia total de Justicia? Un sinsentido, si no se contemplan las alas poderosas del general Sagardía sobrevolando los Juzgados.

El día 3 declaró de nuevo Teodora Larraburu. En esta ocasión como viuda. Su marido Pedro José Gubia había fallecido con 39 años; su hijo mayor había muerto en el frente y ella se esforzaba por sacar a sus otros tres hijos adelante, trabajando en una taberna. Declaró en euskera, con Ignacio Echeverria de intérprete. Se reafirmó en la declaración anterior y añadió datos sustanciosos: «que la salida de la familia Sagardía fue entre el 13 y 14 de agosto, que tuvieron una junta en Gaztelu en la que recuerda que estaban José María Sarratea, entonces concejal, Bautista Oteiza, Vicente Micheo, José Azcona, Nicolás Micheltorena, Manuel Ciganda, Agustín Irureta, Agustín Grajirena, Melchor Alzugaray y otros, cuyos nombres no recuerda». Es decir, casi todas las casas del pueblo representadas. A ella también la llamaron a la reunión, «porque sospechaban que también habría intervenido en la sustracción de plantas, por estar indispuesta con los dueños del campo». En aquella reunión, la mujer de Sagardía «negó los hechos, pero a pesar de ello le dieron un plazo de veinticuatro horas para salir del pueblo, plazo que luego ampliaron hasta cuarenta y ocho horas, llegando aquellos días su marido, que fue detenido por Melchor Alzugaray y conducido a la Guardia Civil; que tiene entendido que la llave estaba rota y por tanto no se entregó por la familia expresada, por lo que dispusieron que se clavara la puerta, creyendo que lo ordenarían los concejales». A fines de agosto, Teodora «pasó por donde habían hecho cobijo cuando salieron del pueblo, y vio a la mujer de Sagardía, la cual le dijo que tenía un niño muy enfermo y que iba a ver al alcalde de Donamaria para ver qué hacían, y los otros hijos estaban allí llorando». Al día siguiente, Teodora volvió «a pasar por el mismo sitio, encontrando la chabola quemada y la familia desaparecida, habiendo corrido después el rumor con insistencia de que toda la familia había sido arrojada por la sima de Legarrea, pero sin que pueda concretar las personas que hicieron correr tal rumor, ni si es cierto».

Es evidente que Teodora Larraburu no «pasó» esos días por donde estaba la txabola, porque no era un lugar de paso, sino puro monte. Teodora, amiga íntima de Juana Josefa, iba a estar con ella, posiblemente a ayudarle. Fue amiga hasta el final. Y en esta segunda declaración, a los dos años y medio de haber sido también expulsada del pueblo, parece que Teodora habló con más libertad y aportó al juez el nombre de nueve implicados en la expulsión que, a la postre, serán procesados.

También Alzugaray se reafirmó en lo ya declarado, añadiendo que «quien obligó a la mujer y los hijos de Pedro Sagardía a salir del pueblo, fue todo el vecindario, pues primeramente fueron a la Guardia Civil pero el Sargento les dijo que no podía subir, y después, al cabo de unos días, volvieron con la misma pretensión manifestándoles el Comandante de Puesto que ni él podía autorizarlo, ni ellos podían expulsar a la citada familia; que entonces y como se trataba de una familia indeseable por sus constantes raterías, tuvieron una reunión en Gaztelu los principales vecinos y representación del Ayuntamiento. (...) Y después de exponer cuanto había manifestado la Guardia Civil acordaron por unanimidad llamar a la mujer de Sagardía a la misma reunión, e invitarla a que se marchara del pueblo, como así lo hicieron, acudiendo la citada mujer, quien confesó que, en efecto, había realizado algunas raterías de frutos del campo, aves y alguna oveja, por todo lo cual se le dio un plazo de 24 horas y como pidiera otro nuevo se le concedió».

Reconoció que estaba de guardia cuando llegó Sagardía, pero «nadie le ordenó la detención, sino que como tenía oídas varias versiones de que si se había dedicado al espionaje, la dispuso el mismo declarante en unión de Agustín Irureta, para presentarlo a la Guardia Civil». Por tanto, él no tuvo más participación en la expulsión «que la de reunirse con los vecinos». Tampoco recordaba quiénes estaban de guardia el 30 de agosto de 1936, ni dónde se encontraban las listas, «si es que se conservan, pues en tal caso deben estar en el ayuntamiento o tenerlas el alguacil».

Todos los demás, Azcona, Oteiza, Micheo, Micheltorena, Ciganda, Lazcano y Eraso, en euskera la mayoría, dijeron casi exactamente lo mismo: hubo una reunión, dieron un plazo de 24 horas que se amplió a 48, una txabola, un incendio... y no sabían nada más. De no mediar la posterior desaparición, no habría que poner en duda aquellas declaraciones colectivas. El vasco rural es hombre de palabra («*hitza hitz edo gizona hits*», dicen) y aquellos paisanos eran en extremo creyentes. *Euskaldun, fededun.* Todos habían jurado ante Dios «decir la verdad, toda la verdad y nada más que la verdad», si es que les tradujeron bien lo que decía aquel juez castellano. Para aquellas gentes el Infierno no era una entelequia, sino algo real, próximo. Pasaban toda la vida cosechando indulgencias, para estar el menor tiempo posible en el brasero del Purgatorio. Lo creían así y sabían de sobra lo que suponía jurar en falso. Habría por tanto que creer sus declaraciones. De lo contrario, es inimaginable el infierno interior en que convirtieron sus vidas.

Jose María Sarratea, de 45 años, repitió lo de las raterías, pues a él también le habían quitado tablas y leña, «pero no se denunciaban porque no hacían caso». Luego se salió algo del guion de sus vecinos, dio nombres e implicó a más gente. Era concejal cuando se reunió «la mayoría del pueblo», citó a los mismos que había señalado Teodora y añadió los nombres de Joaquín Ilarregui, Pedro Lazcano y José Antonio Eraso. El cerco se estrechaba. Además, señaló a Fernando Inda, a su hijo Lino y a José Lizasoain, que fueron llamados a declarar y demostraron que no habían estado en el *batzarre*: Fernando estaba fuera, su hijo Lino andaba trabajando en el monte y José Lizasoain se encontraba ese día en la Ribera, cubriendo de forma voluntaria la falta de brazos de los que habían salido para los frentes de guerra.

Dícese por los pueblos vecinos que solo tres casas de Gaztelu se mantuvieron al margen de los hechos. No queda claro si en lo que no participaron fue en el *batzarre* donde acordaron la expulsión, si fue en la expulsión misma, o si fue en la desaparición posterior que, si bien relacionadas, no tenían el mismo pecado, ni quizás los mismos responsables. Hubo, sin duda, una nutrida asamblea vecinal que acordó la expulsión, y quienes fueron reconocidos por su participación en la misma resultaron procesados. Mas eso no significa que fueran los mismos que estaban de guardia la noche del 30 de agosto, o los que subieron a Legarrea, para ejecutar esta versión gazteluarra de «la solución final» nazi. Tampoco estar de acuerdo con la expulsión significaba participar, ni siquiera aprobar, lo sucedido después. Pero una vez consumada la fechoría, todos se sabían, poco o mucho, culpables. Y el entrevero de parentelas, amistades y vecindades hizo el resto. Dado lo irremediable del chandrío, todos a una optaron por callar y llevarse el secreto hasta la tumba. *Lurra ahanzkor*, dice el adagio. La tierra es olvidadiza. Y decidieron asumir una carga que iba a pesarles toda la vida, a ellos y, en muchos casos, a sus descendientes. Un infierno en vida en el que, como advertía Dante, «todo el oro que existe o podrá existir alguna vez bajo la luna, no daría un momento de reposo a estas almas afligidas».

Y es ahí donde el papel del párroco, de la Iglesia en general, supuestos pastores de almas, cobra un papel determinante. Todos los curas de la comarca sabían lo ocurrido y, vía confesión, quizás hasta unos detalles a los que nunca llegaría un sumario judicial. Y también es seguro que el Arzobispado lo conocía, porque monseñor Marcelino Olaechea tuvo conocimiento de todo lo ocurrido en la retaguardia navarra. Es famoso su discurso del 15 de noviembre de 1936, pidiendo el cese de la represión sangrienta y Manuel Irujo le atribuye tener elaborada una de las primeras listas de represaliados de todo Navarra.[54] Pero todos callaron, haciéndose cómplices, incluso pecando contra el quinto mandamiento, en el caso de don Justo. Esta actitud fue sin duda un bálsamo para las conciencias más atribuladas, pues era un consuelo ver que los pastores andaban igual de descarriados que sus ovejas.

Quedaban por resolver otros interrogantes. La casa había sido ocupada de nuevo, los muebles habían desaparecido. Según el propietario, Miguel Taberna, «se le presentó una mujer que hace de *serora*, o sea que limpia la iglesia de Gaztelu, pero cuyo nombre y apellidos ignora, pidiéndole la casa, y como el declarante le dijo que no tenía las llaves y que la familia Sagardía debía tener los muebles dentro, le contestó aquella que los muebles los habían subido al desván por orden de la Autoridad, sin referirle qué autoridad lo dispuso, aunque supone el declarante que sería el Alcalde del Barrio, y que así mismo dicha autoridad tenía también llave». Nada sabía Taberna sobre la desaparición, pero en su tienda de Doneztebe había oído «con insistencia el rumor de que habían sido arrojados a la sima de Legarre, aunque no faltan otros vecinos que dicen que se encuentran en Francia».

Contradiciendo a Taberna, el alcalde de Gaztelu aludido, Alzugaray, negó haber tenido la llave; que fue el propietario el que dio autorización al nuevo inquilino y que, según había oído, «al cabo de unos días se presentó un hijo de Pedro Sagardía, que estaba de criado en Lecaroz y dispuso que los muebles se subieran al desván». También volvió a declarar Petra Goñi, la hermana de Juana Josefa. Si antes había reconocido que no se llevaba bien con su hermana, ahora añadía que «le perdió Pedro Sagardía, que la dejó abandonada con seis hijos». Reconocía haberse llevado, junto a su sobrino Martín, los muebles «que eran de su madre» y el baúl de la boda, con sus sábanas y mantelerías de puntillas, con el propósito de que este se los llevara al acabar la guerra.[55]

«Se encuentran en el cielo»

El 8 de abril de 1939, el juez entregó el sumario a la acusación particular, dándole cinco días a fin de instar lo que estimase conveniente. El último día de plazo, esta presentó un largo alegato señalando culpables y hablando ya de delito de asesinato. También descargaba las acusaciones sobre la familia: «Las informaciones prestadas por el puesto de la Guardia Civil nos llevan a esta misma conclusión, pues en todas ellas se tiende a demostrar la justificación del crimen realizado, por medio del descrédito de las víctimas, mejor dicho de la mujer y del querellante, con afirmaciones gratuitas que en su día y ante este sumario probaremos no ser ciertas, pues es una verdadera obsesión en presentar al querellante como un indeseable, borracho y vago de profesión, que había abandonado totalmente a su familia obligándola con ello a dedicarse a toda clase de sustracciones. Eso no es así y día llegará en que lo veremos, pero aun suponiendo que lo fuese, a nada venían estas informaciones pues, de ser ciertas, únicamente debieron valer para en su día haberse efectuado las denuncias correspondientes y consiguientes procesos por hurto, pero nunca llegar ni a los extremos que parece trata de justificar, ni nunca en ninguna forma a perjudicar en nada, ni aún tan siquiera en el destierro del pueblo, a seis menores, inocentes y hoy en ignorado paradero, si bien para nosotros se encuentran en el Cielo, gozando del Dios inmensamente Misericordioso y Justiciero».[56]

Para la acusación particular, de todo lo actuado se deducía «la comisión de un delito de asesinato», si bien no consideraba tener suficientes pruebas todavía «para poder determinar nombres de autores, ni participación de cada uno de ellos en los actos horripilantes que indiscutiblemente se han llevado a cabo». Eso sí, la súbita desaparición de la familia, sin dinero, sin ajuar, sin ropas, sin dejar rastro alguno, «precisamente en los días que más difícilmente podía trasladarse uno de un lugar a otro sin huella de su paso, así como las reuniones de expulsión celebradas en el pueblo y comprobadas en el sumario, hacen cada vez más firme nuestra convicción de la ejecución del hecho».

Insistía el abogado de Sagardía en nuevos y hábiles interrogatorios, y en la inspección de la sima. Finalmente, deducía un delito de reunión ilegal debidamente probado, «al que estimamos debe serle aplicado el *Bando de Guerra* dictado por el Excmo. General Mola, de imperecedero recuerdo, en fecha 19 de Julio de 1936».

Un mes más tarde, la acusación particular detalla ante el Juzgado todos los supuestos delitos del caso. El 23 de mayo, solicitó que se estimara como realizado un delito de reunión ilegal y otro de amenazas. Pedía la nueva comparecencia de todos ellos y de Teodora Larraburu, para concretar «quién convocó la reunión y quién dio la orden para esta convocatoria; día, hora y lugar en que se celebró; quién y quiénes hablaron y en qué términos; quién fue a buscar a la mujer de Sagardía; qué acuerdo se tomó y cómo se comunicó ese acuerdo; y con qué se conminó a la familia Sagardía para el caso de que no abandonase el pueblo». Asimismo, solicitaba el procesamiento de todos los implicados.

Al mismo tiempo, consideraba que había indicios para estimar un delito de allanamiento de morada por parte de

Petra Goñi y Nicolás Ochandorena, y posible complicidad del propietario de la casa, Miguel Taberna.

Como en su escrito del día 13 de mayo, la acusación particular insistía en la existencia «de un delito de asesinato» y, con miras al esclarecimiento «de este monstruoso hecho», consideraba «imprescindible el reconocimiento de la sima de Legarrea, para lo cual debe estudiarse la forma de efectuarlo con las mayores garantías de seguridad (...) aprovechando ahora la bonanza del tiempo y la duración de la luz».

Y sin más dilación, pedían al juez «decretar la prisión de todos ellos, aprovechando el tiempo que este dure para el reconocimiento de la sima y dirigiendo los interrogatorios, con habilidad, a esclarecer este principal hecho».

Se había pasado ya a las palabras mayores: prisión, asesinato. Sin embargo van a transcurrir nueve meses, nueve, sin nuevas diligencias. Todo el mundo sabía que el quid de todo estaba en la sima. La aparición de los cuerpos supondría la condena irremisible, en distintos grados de responsabilidad, de numerosos vecinos; evidenciaría la complicidad de las autoridades civiles, militares y eclesiásticas; humillaría, en suma, al Régimen, en su Tercer Año Triunfal. Si no aparecían, no habría crimen, y el resto de delitos eran sorteables, con sobreseimiento incluso. Por eso, si en Gaztelu o sus alrededores había realmente culpables, aquellos nueve meses supusieron otorgar un tiempo precioso para que los cuerpos se pudrieran, desaparecieran o se enterraran bajo toneladas de vertidos. ¿A quién interesaba agilizar la causa 167? Ni al pueblo, ni al Ayuntamiento, ni a la Guardia Civil, ni al párroco, ni a la prensa, ni a las autoridades de Pamplona. Ni, a la vista está, al juez. Tal vez interesaba, como veremos, a alguien anónimo, a quien la conciencia no dejaba dormir. Y supuestamente, a la familia. Y especialmente –de otra forma no se entendería la persistencia– al general Sagardía.

La demanda de aplicar a los acusados el *Bando* del general Mola, impreso en los talleres del *Diario de Navarra* y publicado en su portada el 19 de julio de 1936, era una amenaza temible. Aunque no supieran leerlo en castellano, sabían que anunciaba juicios sumarísimos y fusilamientos inmediatos a sus contraventores. De la lectura del mismo, se desprende que los reunidos podrían haber transgredido varios de sus artículos: el 4º decía que «serán castigados cualesquiera clase de actos de violencia, ejecutados contra las personas o las cosas por móviles de los llamados políticos o sociales». Según el artículo 5º, «las autoridades y funcionarios públicos de cualquier orden y categoría, en el ejercicio de sus cargos, tendrán durante la vigencia de este bando, carácter militar, castigándose, en consecuencia, los delitos que en el desempeño de ellos cometa». Y por el 7º quedaba prohibida «la celebración de reuniones, mítines, conferencias, o juntas, que no hubieran sido autorizadas por la respectiva Autoridad Militar de la Plaza».[57]

Miedo a la sima

Los días finales de 1939 se volvió a poner en marcha la maquinaria judicial. De forma consciente, pues ya fueron advertidos de ello, habían dejado pasar los meses más idóneos para inspeccionar la sima. El Cuerpo Nacional de Ingenieros de Minas expuso que había dificultades, pero como la vez anterior, no decía que no se pudieran superar: empleo de equipos antigás, control de desprendimientos, maleza... No obstante, el 27 de diciembre, el juez García-Rodrigo decidió que «no ha lugar al reconocimiento del fondo de la sima Legarrea, por no poderse realizar con las seguridades convenientes para el Juzgado y demás personas que hubieran de efectuarlo».[58]

El juez volvía a negar la diligencia principal, la única imprescindible. Como en el cuento *La sima*, de Pío Baroja, nadie se atrevía a bajar a esa antesala del infierno. Había miedo a la sima, pánico más bien, y el de su dificultosa bajada no era el más insuperable.

Aquellas navidades, las castañas fueron amargas en Gaztelu. De nuevo, doce vecinos habían sido citados a declarar para después de Reyes en Iruñea. Otra vez el mundo hostil de la capital y de sus juzgados, donde ninguno entendía la jerga de los letrados, ni la mayoría siquiera el español. Leyendo sus declaraciones, se nota que sus abogados les habían aleccionado bien, ya que con traductor o sin él, todos dijeron lo mismo.

El día 10 de enero pasaron todos ante el juez. Entre los que recaían las mayores sospechas, no hubo apenas contradicciones: nadie recordaba nombres, ni quiénes estuvieron en la junta. Sí que robaban, que les dieron 48 horas y que se fueron «voluntariamente». Nada más.

Muy al contrario que en su anterior declaración, Alzugaray implicó directamente a la Guardia Civil. Según manifestó, acudieron al cuartel y les dijeron «sin que recuerde quién fuera, que ellos no podían ir al pueblo y que el vecindario podía tomar el acuerdo que quisiera». Con mejor memoria, el sargento Zubizarreta reconocerá más tarde que fue con él con quien hablaron. Alzugaray dijo que «el vecindario, sin que pueda determinar quién o quiénes», propuso expulsar a Juana Josefa del pueblo, lo que se le comunicó inmediatamente, «pero sin que fuera el declarante personalmente, ni como alcalde, sino que lo hicieron varios en común». Fuenteovejuna.

La cobertura de la Guardia Civil a la expulsión, algo clave en los acontecimientos posteriores, la repiten otros encausados: Oteiza recordaba que el *batzarre* lo convocó el alcalde, y que fueron avisados por el alguacil José Antonio Eraso. Y fue el alcalde el que «había consultado con la Guardia Civil y esta le dijo que podían expulsarla». Tras la «invitación», se marchó y «no hubo necesidad alguna de amenazarla en ninguna forma». Grajirena escuchó que «la Guardia Civil había dicho que había que expulsar a la familia del pueblo, y al proponérselo a la mujer de Sagardía aceptó la invitación y por ello no hubo necesidad de amenazarla de ninguna forma». Eraso confirmó que, según la Benemérita, «podían tomar el acuerdo que quisieran».

Estas imputaciones a la Guardia Civil, acusándole directamente de dejación de responsabilidades y de incitación al delito, trajeron enfrentamientos. A oídos del juez llegó la noticia de que Alzugaray había increpado al sargento, echándole la culpa «de lo ocurrido en Gaztelu». El asunto era grave, pues en Gaztelu no había ocurrido nada delictivo, según declaraciones de ambos. Más tarde, Alzugaray tuvo que prestar declaración sobre esto y negó haber acusado al guardia civil, ya que «no pudo decirlo, por no haber realizado nada más que haber invitado a la familia de Pedro Sagardía a que abandonase el pueblo».[59] Ahora quedaba todo más coherente.

Todos recalcaron que «la mujer de Sagardía» (como siempre se refieren a Juana Josefa), fue «invitada» y que se marchó voluntariamente. Sarratea dijo que sin conminarla en ninguna forma, «pues al invitarle la mujer de Sagardía aceptó la invitación». «Sin que se ejerciera coacción alguna», repitió Ciganda. «No hubo necesidad de amenazarla de ninguna forma», dijo Micheltorena. «Aceptó la invitación», dijo Ilarregi. «Accedió a la invitación», dijo Lazcano.

Pero a pesar de la concordancia en las declaraciones, cuesta creer que Juana Josefa aceptase la invitación: llamó a su marido, al que no le dejaron llegar a su casa; acudió ante el dueño de la casa, pidiendo su mediación, y ante el alcalde de Donamaria. Nadie abandona de grado su casa, preñada y con seis hijos, dejando todos los enseres, para construirse una choza con ramas en un monte cercano. El juez, finalmente, admitiría en su auto que la habían echado «violentamente». En cuanto a los muebles, Miguel Taberna reconoció en esta ocasión que autorizó a la mujer de Ochandorena a ocupar la casa.

Inicio de la causa

El 26 de abril de 1940 se publicó el decreto denominado *Causa General sobre la dominación Roja en España*, con el objeto, según su preámbulo, de analizar «los hechos delictivos cometidos en todo el territorio nacional durante la dominación roja». Los vencedores de la guerra decidirían qué había sido «delito» y qué «lucha de liberación nacional». Instruida por el Ministerio Fiscal, la *Causa General* puso a su servicio toda la estructura judicial del régimen, buscando la venganza y, sobre todo, el triunfo sobre la memoria, la victoria del relato histórico, que a la postre no siempre se gana con las armas. Como consecuencia, miles de personas fueron empujadas a la ruina, a la cárcel, al exilio, al paredón o, en el mejor de los casos, al arrepentimiento y a la reconversión forzosa.

En aquella atmósfera, la causa 167 se movía por los juzgados más a contrapelo que nunca. El 22 de mayo se declaró el cierre del sumario, con el procesamiento de todos por «incendio y coacciones». El auto reconocía que, «hacia los días 13 ó 14, se reunieron en la Sala del Concejo los concejantes del Ayuntamiento de Donamaria y Gaztelu, Melchor Alzugaray Gamio y José María Sarratea Arregi, el primero a la vez alcalde pedáneo de Gaztelu, con los vecinos Agustín Irureta Indart fallecido, Agustín Grajirena Urroz, Bautista Oteiza Graciarena, Vicente Micheo Ochandorena, José Azcona Larrainzar, Nicolás Micheltorena Sagardía, Manuel Ciganda Larrea, Joaquín Ilarregi Gamio, Pedro Lazcano Picabea y José Antonio Eraso Ochandorena, todos los que bajo el pretexto de que la vecina del mismo Gaztelu, Juana Josefa Goñi, cometía raterías en aquel término, acordaron su expulsión del pueblo, conminándola violentamente y en ausencia de su marido, para que juntamente con sus hijos, saliera del pueblo en el plazo de veinticuatro horas, que ampliaron a cuarenta y ocho, dentro del cual efectivamente se ausentó la Juana Josefa Goñi con sus hijos Joaquín, de 16 años, Antonio de 12, Pedro Julián de 9, Martina de 6, José de 3 y Asunción de 2, instalándose en una chabola provisionalmente, construida por palos y ramaje, en el bosque próximo, permaneciendo allí hasta el día 30 del mismo mes de agosto, en que apareció quemada la chabola y desaparecidos la citada mujer e hijos, cuyo paradero no ha podido ser averiguado hasta la fecha, ni comprobado tampoco el rumor público de haber sido arrojados a la sima de Legarrea de aquel término, en la que no se ha podido practicar un reconocimiento a fondo, por su profundidad, carencia de medios adecuados para ello y peligros probables para las personas, según informes técnicos obrantes en autos».

En sus considerandos, el auto sugería la posibilidad del asesinato masivo y «sin prejuicio de la calificación que quepa si se llegara a comprobar la muerte violenta», veía «un delito de coacciones» e indicios racionales suficientes para considerar como autores del mismo a los doce vecinos citados.

El juez todavía dio un paso más: «aunque el Código señala que el delito que se persigue es solo de arresto y multa, las circunstancias concurrentes en el hecho, consecuencias que ocasionaron la desaparición de la familia, alarma que produjo y extraordinario del caso, aconsejan decretar la prisión de los procesados sin fianza por ahora».

Seguidamente, decretaba la prisión provisional comunicada y les requería a presentar fianza cada uno de diez mil pesetas, «en cualquiera de las clases que la ley admite, con objeto de asegurar las responsabilidades pecuniarias que pudieran imponérseles, bajo apercibimiento de embargo de sus bienes». El auto lo firmaba el «Sr. D. Carlos María García-Rodrigo y de Madrazo, magistrado, en comisión de Juez de Instrucción de esta ciudad».[60]

A continuación detallaba el inventario de los bienes de cada uno de los reos, con los que debían responder posibles indemnizaciones:

Melchor Alzugaray Camio: 2 edificios; 10 fincas; un asno y 7 cerdos.

José María Sarratea Arregi: 4 edificios; 13 fincas (manzanales, prados, huertas); 9 vacas; 66 ovejas y 5 cerdos.

Agustín Grajinena Urroz: 6 vacas; 41 ovejas; 7 cerdos; un caballo y un asno.

Bautista Oteiza Grajinena: 2 edificios; 8 fincas; 7 vacas; 97 ovejas; 19 cerdos; 1 caballo y 1 asno.

José Azcona Larrainzar: 2 edificios y 14 fincas.

Vicente Micheo Ochandorena: 3 edificios; 9 fincas; 8 vacas; un asno y 9 cerdos.

Nicolás Micheltorena Sagardía. No tenía nada, ni pagaba contribución.

Manuel Ciganda Larrea: 7 vacunos; 8 cerdos y un asno.
Joaquín Ilarregui Camio. No pagaba contribución.
Pedro Lazcano Picabea: Una casa; 6 prados; 5 vacunos; 41 de lanar; 6 cerdos y un asno.
José Antonio Eraso Ochandorena: No tenía nada.

Solo los cinco primeros sabían firmar. El resto no lo hicieron y dejaron constancia de no saber castellano.

El mes de junio comenzó entre providencias e informes. Se designó «al vecino de esta ciudad, D. Pedro Gastesi Arrarás, que conoce el euskera», como intérprete. Del Ministerio de Justicia se certificó que ninguno de los encausados tenía antecedentes penales. Los alcaldes de sus pueblos de residencia enviaron informes sobre sus «conductas intachables». Ante el requerimiento de pagar cada uno 10.000 pesetas de fianza por responsabilidad civil, «bajo apercibimiento de embargo de sus bienes», manifestaron no tener esa cantidad en metálico. Si se tiene en cuenta que los jornales no pasaban de las 10 pesetas diarias, la cantidad era realmente insalvable.

Los días siguientes se palpaba un ambiente de tragedia en Gaztelu. La mayor parte de las casas estaban afectadas directamente. Otras por parentescos y diversos lazos. Las mujeres angustiadas, ante la inminente falta de hombres; los hijos sin entender nada. Lágrimas, insomnios, temores... ¿reproches? Si los hubo entre ellos, no salieron al exterior. Había habido una decisión colectiva y cada uno cargó con su hato de responsabilidades y silencios. No habría vuelta atrás.

El día dos de junio, una cuadrilla de once baserritarras entraron con sus macutos en la cárcel de Iruñea. El día siguiente, la prisión informaba al Juzgado que ya habían entrado, «en este establecimiento», sin fianza, los once encausados. Nada de lo que veían allí adentro les recordaba las anchuras ni el color de su valle. Si oteaban hacia el norte, con la esperanza de ver las cimas del Mendaur o Larrazmendi, el casco pétreo del monte San Cristóbal cerraba el paso de sus miradas.

El día seis les ofrecieron la libertad provisional, con fianza de mil pesetas cada uno. Su abogado, el baztanés Julio Echaide, había hecho un buen trabajo. El procurador Gerardo Valcarlos entregó de un golpe las 11.000 pesetas solicitadas y al día siguiente salieron todos. Habían estado cinco días en la cárcel. La «prisión sin fianza» había durado poco. Los papeles de la Audiencia no explican las razones de tan rápida puesta en libertad. ¿De dónde sacaron dinero para la fianza los declarados insolventes? Posiblemente, del resto de los encausados. No podía quedar nadie en la cárcel por no poder pagar, si querían mantener la unión.

Gaztelu se sintió aliviada. El proceso continuaba, la fianza pesaba, la amenaza de los embargos por la responsabilidad civil seguía, pero todo se veía mejor desde casa. Eso sí, todos los meses, el día 30, los once procesados debían acudir ante el juez, para garabatear el acta de revista.

Un anónimo comprometedor

El día siete de agosto, el juez emitió un auto anunciando la terminación del sumario. Y en ese mismo momento surgió otra veta de investigación, al llegar a manos del juez un papel sin firma:

> «*Santesteban 4-8-40*
>
> *Muy Señor mío: Deseando que se aclare el asunto de Gastelu* (sic) *de la familia que desapareció, quiero darle algo de luz diciéndole que detengan a los siguientes:*

Remigio Irureta y Martín Larraburu de Gaztelu que fueron entre otros los que estaban de guardia aquella noche; de ai (sic) *es por donde algo de luz se puede sacar.*

Uno que se interesa por el asunto que no debe quedar oculto: de eso pues es de quienes conseguirá luz en el asunto».

Por fin se sabía algo de los que hicieron guardia la noche del 30 de agosto de 1936, cuyos nombres todos habían olvidado, y que no constaban entre los papeles del Ayuntamiento ni de la Guardia Civil. Tirando de este hilo se supo que Jesús Gamio Azcona, de 34 años, fue el tercer hombre de la guardia. En su declaración del 17 de septiembre lo reconoció, pero «como el lugar donde estaba instalada dicha familia se encuentra en una hondonada, y a un kilómetro aproximadamente del pueblo, ni el dicente ni los demás componentes de la guardia pudieron apercibirse del incendio de la choza donde se cobijaban». En la misma sesión de interrogatorios, también Alzugaray recordaba ahora a los tres que estuvieron de guardia.

Ello obligaba a la Audiencia a realizar nuevas pesquisas, y fue estribo para que la acusación particular solicitara de nuevo la revocación del auto de terminación del sumario. El día 28 del mismo mes, el Juzgado lo aceptaba. Era el segundo cierre fallido.

El abogado de Sagardía dispuso una nueva batería de diligencias. Amén de más interrogatorios, reiteraba que era «imprescindible el examen de la sima» y, previendo las pegas del juez a hacerlo, adelantaba que ya se había tomado contacto con un capataz de minas de Pamplona, que consideraba «de mucha facilidad el reconocimiento de la sima».

El 30 de agosto de 1940, Felipe García de Jalón, secretario de la Audiencia, ordenó el comienzo de las diligencias. El 14 de septiembre comenzaron los interrogatorios.

Petra Goñi debía aclarar por qué llamaba «difunta» a Juana Josefa Goñi y explicar la retirada de muebles «para que sean devueltas a mi representado su casa y bienes muebles, y ropas suyas y de su familia, que obraban en la casa cuando la familia fue de ella violentamente expulsada». Ella declaró, simplemente, que daba por difunta a su hermana. Y cuando se enteró que estaba muerta, «dio cuenta al Sr. Sargento de la Guardia Civil de Santesteban y este la mandó donde el Juez, sin que ninguno de esos señores le hiciesen caso, por lo que tuvo que dejar el asunto».

Recordemos cómo el sargento había declarado que hasta el regreso de Pedro Sagardía, en agosto del año 1936, un año después de los hechos, «no tuvo en absoluto, conocimiento de esos rumores». Si esto ya era entonces difícil de creer, ahora quedaba en evidencia. Petra Goñi lo había denunciado ante él y ante el juez, y ambos miraron para otro lado. El sargento mentía otra vez. En cuanto a los muebles, Petra los retiró porque ya vivían otros. Y detalla el ajuar que había en la casa: «una cama, un armario, dos colchones y 6 sábanas». Misérrimo para una familia de nueve miembros, lo que hace pensar que Juana Josefa y sus hijos habían conseguido llevar a la txabola algunas mantas, quizás algún colchón, que fue luego pasto de las llamas.

El mismo día declaró Teodora Larraburu, la principal testigo de lo acontecido en la junta de vecinos. Repitió más o menos lo mismo que en sus declaraciones anteriores, pero fue mucho más benévola con los acusados. Antes había dicho que «acordaron despacharla», que «se llevaron a la familia, sacándola de la casa sin permitirle volver», o que «le obligaron a abandonar el pueblo», expresiones que inducían a pensar en algún tipo de coacción. Además daba nombres concretos de los presentes. Ahora sin embargo declaraba que «la vecindad fue la que le conminó a que dejara el pueblo», y que no recordaba «que le dirigieran ninguna amenaza».

Su declaración era importante porque eximía a los encausados del delito de amenazas. Ahora coincidía en lo fundamental con los acusados que, no olvidemos, también le habían obligado a ella a abandonar el pueblo. ¿Por qué lo hizo? Tal vez tuvo presiones. O tal vez se apiadó de sus antiguos vecinos y no quiso extender la desgracia a más familias. Juana Josefa y sus hijos ya estaban muertos; ella vivía fuera del pueblo ¿para qué agrandar la mancha del dolor? Fuera una razón o la otra, Teodora se la llevó a la tumba.

Tras las declaraciones de Petra y Teodora, el resto de diligencias se paralizaron. La acusación particular había pedido indagar las «causas, motivo y actitud de la gente que se encontraba en la Plaza del Pueblo, el día que fue detenido mi representado». Pedía también la declaración de los que estaban de guardia saliente la noche de la desaparición, porque sabía que estaban también Jesús Gamio y Martín Sarratea, y en la guardia entrante Fernando Sarratea, de Donamaria. También el cantero de Gaztelu, Pedro Lazcano, procesado en la causa, formaba parte de una de las guardias, y un vecino de Legasa, llamado Joaquín, amo de la casa *Bordaxuri*. El hijo de este, Joaquín, era quien había manifestado a Pedro Sagardía «que su padre le había dicho, el día primero de septiembre de 1936, que en aquella noche se había hecho desaparecer la familia».

Resultaba evidente que, más que quienes decidieron la expulsión, eran los guardias que se cruzaron esa noche los mayores sospechosos de lo ocurrido. Pero todo el proceso cargó sobre los primeros, presionando muy poco a los segundos. Quizás, es una opinión, porque unos tenían un carácter civil y los delitos que se les imputaban eran unas ambiguas coacciones, mientras que los otros tenían un componente militar o militarizado, y se les relacionaba con crímenes nefandos. Parece claro que ni el fiscal ni el juez estaban por la labor de llegar hasta el final y preferían quedarse en los episodios previos al desenlace. Por algo titularon la causa como «Incendio y coacciones» en lugar de, por ejemplo, «Secuestros y asesinatos».

Horrorizados y desmemoriados

El mes de septiembre de 1940, el general Sagardía fue nombrado inspector general de la nueva Policía Armada. Este mismo mes viajó a Alemania, con la comitiva oficial que hizo los honores al Führer. Al mes siguiente, Sagardía será una de las personalidades que recibirá en Donostia al jerarca nazi Heinrich Himmler.

No sabemos si su estancia en el País Vasco sirvió para agilizar el proceso sobre su familia. Tal vez sí. El 12 de septiembre el procurador de la acusación, Vicente San Julián, informaba al Juzgado que habían tenido conocimiento de que un vecino de Gaztelu, Fernando Inda Irigoyen, hacía desde una temporada una vida muy diferente a la que había seguido con anterioridad, «encontrándose muy retraído y retirado sin hablar con gente y procurando eludir todo encuentro». Y que era ya rumor público entre la gente, que el cambio de actitud de este hombre, pastor de profesión, se debía a que «fue testigo presencial de algunos hechos de los que motivaron la desaparición de la familia Sagardía, hechos que, dicen, le causaron tal horror que ha repercutido en su manera de vivir, y que además ha sido amenazado en grave forma si contase algo de lo que en su día vio». Solicitaba que se le hiciera comparecer, «sometiéndolo a interrogatorio hábil y apretado, con el fin de conseguir alguna aclaración».

El 23 de noviembre, día de San Clemente, se tomó declaración a Fernando Inda. Este manifestó que el día siguiente de la desaparición, lunes, sobre las siete de la mañana, estaba cogiendo helechos y vio la chabola quemada esa misma noche y el caldero «completamente machacado». Sobre su sospechosa actitud, dijo que el único motivo que tenía para retraerse ante sus vecinos era «el haber tenido que pagar una multa de siete u ocho mil pesetas por razón de contrabando, y eso es lo que le ha avergonzado de tal manera que le hace que esté retirado en casa, sin que sea cierto que él haya visto nada que se relacionase con la desaparición de la familia Sagardía, ni que haya sido amenazado por persona alguna por ese motivo». Y que no era pastor, sino ganadero con un pastor a su servicio.

Si Fernando Inda dijo la verdad, será el primer contrabandista en toda la historia de Navarra que se haya avergonzado de haber sido multado por ese motivo. Toda la montaña ha sido *mugalari*, y el que no lo ha sido, ha participado en la cadena del contrabando hasta localidades muy al sur. Tafalla y su feria, por ejemplo, siempre fue un gran centro de contrabando de ganados que pasaban luego por la muga pirenaica. De contraviaje, lencería, café, medicamentos, máquinas, harina... Todo se cernía con un tupido cedazo de complicidades. El carabinero, el alcalde, el párroco, todos miraban a otro lado, a cambio de una *puxka*. La literatura vasca glorificaba a los contrabandistas: *Centauros del Pirineo*, los había denominado el escritor Félix Urabayen. Además, la guerra, el cierre de la frontera y el estraperlo, habían multiplicado el tráfico y los mayores contrabandistas eran mirados con envidia y admiración por sus paisanos, jamás con reproche. Ser multado por contrabandear no producía más vergüenza que perder al mus o a la pelota. Cualquier otra explicación que hubiera dado Inda sobre su estado de ánimo, sería más verosímil: bastaba con decir que estaba deprimido con los rumores de lo que había ocurrido en el pueblo y todos lo hubieran comprendido. Seguro que no era el único.

A finales de marzo de 1941, siete meses después de haber sido citado en aquel anónimo, llamaron a declarar al carpintero Martín Larraburu Micheltorena. La parsimonia judicial revela lo pesada que se les hacía la causa 167. Martín reconoció que estaba de guardia aquella noche, «pero no apercibió nada anormal en el pueblo ni en el monte». Lo mismo declaró su compañero de guardia Remigio Irurita Maizcorrena, de 39 años.

Difícil de creer. Cualquiera que se acerque al cuadro de casas que forma el casco urbano de Gaztelu, sabe que no puede mugir una vaca o cruzar un gato sin que se note. Y de noche, el resplandor de un incendio en la falda del monte, a kilómetro y medio de distancia, lo vislumbra el más cegato. ¿Estaban dormidos? ¿Borrachos? Porque si ocurrió lo que se dice, la guardia no cumplió con sus deberes, o mintió al juez. ¿Por qué?

También era dudosa la declaración de Bernardo Urroz Irripa, de 65 años, baserritarra del caserío Sanjuanlur, a pocos minutos del punto del monte donde «se hizo la chabola la mujer de Pedro Sagardía». Urroz vio la txabola quemada, pero «no oyó esos días voces, ni tiros ni nada alarmante». A Gaztelu solo iba «los domingos para oír misa y no ha oído nada relacionado con la desaparición de la familia». Eso sí, «el caserío o borda donde vive el declarante se encuentra junto al camino que va hacia la sima en lo alto del monte, pero no oyó el día 30 de agosto de 1936, ni en ninguno de aquellos días, ni por el día ni por la noche, nada que le llamara la atención». Declaró por medio del intérprete Ascensio Arano, «por no saber explicarse el testigo más que en el idioma vasco». Cuesta creer que a la salida de alguna misa dominical, a lo largo de los casi cinco años transcurridos, todavía no hubiera oído nada relacionado con la desaparición, siendo el habitante más cercano a la sima.

Y para más dudas, en abril fue llamado a declarar el guardia civil Claudio Santamaría. Según el abogado de Sagardía, había dicho que los días de la desaparición apareció tierra removida en el cementerio de Gaztelu. Pero ante el juez, el guardia no recordó haberlo dicho.

En Gaztelu, o todos mentían o todos decían la verdad.

Nuevas muertes violentas

El pueblo parecía tocado por una maldición. El 11 de junio de 1941, una nueva noticia estremeció el vecindario: José Antonio Eraso Ochandorena, de 54 años, viudo con cuatro hijos, apareció muerto en la cuadra de su casa, a las tres de la tarde. Era otro de los imputados de la causa 167. De inmediato, como no podía ser menos, hubo quienes relacionaron el hecho con el ahorcamiento de Irureta, con las depresiones de Inda, con la causa 167 en definitiva. Además su mujer, Antonia, había fallecido dos meses antes, dejándolo con cuatro hijos, tres de ellos menores. Demasiada presión, sin duda.

José Azcona Larrainzar, otro de los imputados y juez municipal en funciones, levantó y firmó el acta del suceso. Al día siguiente, se inscribió la muerte en el libro *Defunciones* del registro del Juzgado de Paz de Donamaria. Sospechosamente, pusieron primero que falleció «a consecuencia de asfixia» y, seguidamente, dado que no se podían hacer tachaduras, acabaron la frase con un «digo electrocución». Y entre las dos frases se observa claramente un cambio de intensidad de la tinta, como si se hubieran escrito en momentos distintos. ¿Fue un error o hubo una corrección posterior de la causa de la muerte?

Luego, en la parte inferior de la hoja, hay una anotación redundante e innecesaria: «consignándose además que falleció electrocutado en la cuadra de su casa».[61] Todo el acta de defunción inducía a sospechas, quizás porque todo en el pueblo estaba bajo sospecha.

La primera versión de los hechos la tenemos del nuevo comandante de puesto de Santesteban, Cipriano Huarte Cruchaga: «sobre las 15,30 y a consecuencia de un cortocircuito comenzó a arder el cordón de la luz de la cuadra del caserío *Eneconea* y, al pretender apagarlo con un palo el propietario Jose Antonio Eraso Ochandorena, de 54 años, viudo, le cayó a la cabeza el cordón ardiendo, quedando electrocutado. El criado de la casa Juan Hualde, de 12 años de edad, que presenció lo ocurrido, pidió auxilio, acudiendo varios vecinos que no se atrevieron a tocar al caído, limitándose a dar aviso de lo ocurrido al médico de la villa y al Juzgado de Donamaría, que se presentaron rápidamente en el lugar de los hechos».[62] En su primera declaración ante el juez, el criado no había dicho eso exactamente, sino que «al coger el cordón en la cuadra, lo ha tirado al suelo y al parecer lo ha muerto». Según su declaración, el chico había sido el único en presenciar el suceso.

Al día siguiente se hizo la autopsia, que firmaron el juez José Azcona y los dos médicos, uno de ellos Anastasio Eslava, el que le había atendido en la cuadra. Lo primero que vieron es que tenía «signos muy acusados de descomposición», si bien luego matizaba que correspondían «a un fallecimiento de 24 horas, atendiendo a la elevada temperatura ambiente». Concluía que la muerte había sido causada «por tetanización de los músculos respiratorios por descarga eléctrica de baja tensión, en perfecto contacto con tierra, que ha causado lesiones asfícticas irreparables». Eso podía explicar lo de la asfixia. Sin embargo, faltaba en la autopsia cualquier referencia a las quemaduras de entrada y salida. ¿En la cabeza o en la mano?

Tras la diligencia decidieron darle sepultura, ya que «por su estado no puede ya diferirse su enterramiento». Y firmaba Juan Azcona, juez municipal suplente y encargado del registro civil de Donamaria.

Además del chaval que fue testigo, tomaron declaración a Francisca, la hija del finado, de 16 años. Ella dijo que «su padre estaba por casa, hasta que de un momento a otro subió el chico Juan Hualde de la cuadra, diciendo que estaba el padre caído en el suelo. Que bajó a la cuadra y vio que era cierto, y que nada más sabe pues no intervino en nada a causa de hallarse en su cuarto». Encajaba pues con lo declarado por el criado.

Salvo algunos detalles, todo aparentaba casar: la electrocución con la asfixia, el calor con la putrefacción, las declaraciones entre sí. Parecía que se daría carpetazo inmediato al asunto. Pero algo no debía estar claro porque el 14 de noviembre, cinco meses más tarde, el juez municipal en funciones recibió una carta-orden del Juez de Instrucción de Pamplona, «para que se reciba declaración a los hijos del finado». Al parecer no se hizo nada y, el 19 de mayo de 1942, casi al año del suceso, se recibió una nueva providencia recordando al Juzgado de Donamaria que cumpliera la carta-orden. Entonces sí se obedeció y se citó a los hijos.

De ellos, Martín declaró que cuando el suceso estaba haciendo la mili en África; una hermana estaba impedida para hablar y una tercera no vivía en la casa. Así que, casi un año después, Francisca tuvo que repetir la declaración. Dijo que su padre bajó a la cuadra «y fue sorprendido por una llamarada que despedían los hilos de conducción de la luz que estaban incendiados (...) se lanzó sobre la bombilla con intención de quitarla y al poner la mano sobre ella cayó con la misma al suelo. Viendo la declarante esta escena acudió inmediatamente a él, observando que estaba ya muerto».[63] Esta vez no dijo nada de que fue el criado quien le avisó. Este había dicho que estaba solo viendo la escena. Ella había dicho que estaba arriba en su cuarto. Ahora ella decía que había visto lo ocurrido. ¿Fallos de memoria? Es raro. ¿Malentendidos entre el traductor del euskera y el secretario? Es posible.

El 16 de junio, cumplido el año, el juez Alfonso de Alzugaray Jécome declaraba archivado el caso. Gaztelu respiró más tranquilo. Era lo mejor para todos. Pese a las desconfianzas del juez, inducidas quizás por el abogado de Sagardía, la tesis de la electrocución se impuso oficialmente. ¿Sería así? Era muy raro, rarísimo, morir por tocar una bombilla. Y morir así un implicado de la causa 167 todavía más. Cualquier médico forense experimentado se ríe si se le plantea la posibilidad de morir por 125 voltios, que a la sazón era la tensión doméstica. Y ni los electricistas más ancianos recuerdan que nadie haya muerto de un calambrazo con esa tensión. Tampoco eran lógicos esos signos «muy acusados de descomposición», en un solo día. Todo sonaba a montaje y era lógico que se hicieran cábalas sobre el hecho: declarar el suicidio de un segundo imputado hubiera puesto en evidencia que, ante el avance del proceso, algunos preferían poner la muerte de por medio, dejando a sus compañeros en una situación muy comprometida. Para la familia también era un baldón, y una deshonra no poder enterrarlo en tierra cristiana. José Azcona, juez y parte, pudo cambiar los motivos de la muerte. Ya estaba finado ¿qué importaba la forma? El difunto, los deudos y el pueblo salían gananciosos. Los imputados, por supuesto, también. Las cábalas se quedaron en eso, pero sobre Gaztelu se agrandó la nube de tristeza que presagiaba lo peor. Y poco consolaba el párroco don Justo, al decir en el sermón que «había sido voluntad de Dios», cuando todo parecía venganza del demonio.

Un grupo de vecinos formó un Consejo de familia para hacerse cargo de los tres hijos del finado, «regir sus personas y guardar sus bienes». Lo componían Alejandro Mutuberria, Francisco Larraburu, Melchor Alzugaray, Jesús Gamio y Vicente Micheo. De los cinco, cuatro habían pasado por los juzgados.[64]

Para colmo, en el mes de noviembre otro infortunio había conmocionado el lugar: Francisco Javier Sagaseta, de 14 años, había aparecido muerto, con un tiro de su propia escopeta en el abdomen.[65] Los cielos parecían castigar a un pueblo que no podía escapar de su pesadilla.

Una ronda alegre

El año 1942 trascurría sin nuevas pesquisas ni diligencias. Incluso parecía que la causa 167 había quedado encallada en algún arrecife de los juzgados. En el mes de agosto, una nueva denuncia en el Juzgado de Donamaria nos alerta sobre el ambiente de aquellas rondas nocturnas y armadas, que seguían haciéndose a pesar de haber acabado la guerra. Ahora era la amenaza del maquis, en la cercana muga con Iparralde. Tras la denuncia de Fernando Sagardía Erneta, vecino del caserío Soramenea, cinco vecinos de Gaztelu fueron llamados a declarar. Fernando dijo al juez que a las cinco de la mañana del día 17 de agosto, le armaron una escandalera en la puerta de su casa. Unos cantaban y otros «empezaron a dar grandes voces» llamándole; otros le decían «que abriera la puerta que se le había escapado de la cuadra una vaca». Fernando no les creyó «suponiendo con fundamento que eran excusas que proponían para hacerle abrir la puerta y entrar en casa». Entonces comenzaron a pedirle vino, mientras escuchaba a uno que decía: «si no hemos de dormir nosotros, los demás tampoco». Aunque él lo negaba, parece ser que Fernando echó a los alborotadores orina o agua con un orinal, y seguidamente «le derribaron la puerta y tiraron piedras, una de las cuales rompió la ventana y otra le hirió en el pecho». Mientras, los otros seguían en el prado, cantando, «pues se sentían de buen humor». Es fácil suponer que se encontraban todos algo azumbrados, pues acababan de pasar las fiestas. Fernando salió y gritó que los había conocido y que ya lo pagarían. Al día siguiente presentó la denuncia.

Tres de los cinco llamados a declarar, Alzugaray, Ciganda y Lazcano, estaban procesados por la famosa ronda del mismo mes de agosto, seis años antes. El juez que les tomó la declaración, José Azcona, era otro procesado, y tenía por secretario a Melchor Alzugaray, que se tomó a sí mismo la declaración. En ella dijo que «el día de autos, a la una de la madrugada, salía, una vez hecha la ronda por la Autoridad, en dirección a Gaztelu». Según su autodeclaración, él y Ciganda se separaron del resto y ya no supo nada de lo ocurrido. Ciganda declaró lo mismo, pero dice que salieron a la una y media. Finalmente, Pedro Lazcano reconoció que había tirado las piedras por haberles tirado los orines.[66]

La denuncia no tendría ninguna importancia en cualquier otro lugar y sazón. Una juerga nocturna de final de fiestas, que acaba enfadando al vecindario. Nada que no pase por doquiera. Pero en Gaztelu, las denuncias a rondas de vigilancia nocturnas traían muy malos recuerdos. Y más cuando se repetían los nombres de los protagonistas.

A vueltas con el sumario

Por fin, el 23 de septiembre de 1942, a los cinco años de su inicio, el juez daba otra vez por terminado el sumario, y citó a los diez imputados a comparecer en la Audiencia de Pamplona.

Pero la acusación particular no cedía: un mes más tarde solicitaba la revocación del auto de terminación y pedía nuevas diligencias. Finalmente, el 14 de noviembre, la Sala acordó la revocación del auto de terminación del sumario y ordenó su devolución al juez instructor, para la práctica de las diligencias pedidas por el fiscal y la acusación particular. Era la tercera vez que se echaba atrás el proceso, que pendulaba por el Juzgado entre las ganas de olvidarlo por parte de todos y las presiones, es de suponer, del poderoso general Sagardía.

El fiscal insistía de nuevo en el reconocimiento de la sima («de Legorreta» escribe), al efecto de determinar si en la misma se encontraban restos humanos. Consideraba que esto era algo «tan esencial al procedimiento que no puede prescindirse de él, salvo en el caso de que, agotados los medios, se vea la imposibilidad de efectuarlo». Urgía hacer un presupuesto para que el Ministerio de

Justicia corriese con los gastos. Ya no se trataba de pedir nuevamente a la Jefatura de Minas la inspección y bajada a la sima, sino de que hiciera un presupuesto para que se realizara en condiciones. «Las dificultades que se vayan presentando no es posible prevenirlas ni determinar sobre ellas a priori, pero el buen celo del juez instructor deberá irlas orillando con la máxima rapidez, para evitar la demora de este sumario que está harto retrasado».

También la acusación particular devolvió el sumario solicitando que se tomasen nuevas diligencias: «Desde el primer momento de la instrucción del presente sumario, estimó esta representación imprescindible el reconocimiento de la sima de Legarrea». Recordaba que precisamente por falta de esa diligencia, había solicitado las veces anteriores la revocación del auto de terminación del sumario. Era ya el momento de solucionar el problema económico y proceder al reconocimiento de la sima.

Además, dados los años de desaparición, las muchas declaraciones tomadas, «y de cuanto se oye sobre este hecho», la acusación particular decía tener «la seguridad moral y certeza absoluta de la comisión de este horrible asesinato múltiple, por lo que en el caso de que el reconocimiento de la sima no diese resultado positivo, debe procederse al reconocimiento del cementerio de Gaztelu». Ya lo habían solicitado antes y la petición había sido denegada.

Pedían también la ampliación de las declaraciones de Teodora Larraburu y Petra Goñi, ya que aunque «las consideran ajenas a toda participación (...) tienen noticias ciertas y detalladas sobre la comisión del hecho, forma y autores». Finalmente, en consideración a que se veían una serie de actos delictivos, que comenzaron con el delito de coacción y que culminaron en el de asesinato, estimaban que el auto de libertad condicional debía convertirse en auto de prisión, y que mientras estuvieran presos «se procediese a indagatorias hábiles y aisladas de los encartados, manteniéndolos en la prisión aislados unos de otros, con el fin de que se aclarase el hecho». La acusación particular tenía «la firme creencia» de que «no todos los encartados actualmente son autores ni participantes más o menos directos del asesinato, pero sí que todos ellos tienen noticias completas sobre el hecho y sus autores». En definitiva, Fuenteovejuna de nuevo, aunque con una causa mucho más prosaica.

Más muertes prematuras

El dos de diciembre de 1942 falleció, en el Hospital Provincial de Pamplona, Pedro Antonio Sagardía Ajesta, el padre de la familia y, oficialmente, el demandante de la causa 167. Recién había cumplido los 52 años. No pudo con una «congestión pulmonar». La inscripción se hizo por iniciativa del administrador de los Establecimientos Provinciales de Beneficencia, Silvestre Belzunegui, lo que sugiere que podría estar recibiendo algún tipo de ayuda benéfica. Recordemos cómo, en 1939, se había acogido a la justicia gratuita por insolvente. En su certificado de defunción, lo reconocen «hijo de Martín y de Francisca, de estado viudo de Juana Josefa Goñi, natural de Gaztelu».[67] Fue el único reconocimiento oficial que tuvo de que su esposa estaba muerta. Por fin, alguien le reconocía su viudedad. Lástima que él no se enterara.

Tampoco nadie se enteró de su fallecimiento. Parece mentira pero, a pesar de que el juez de Pamplona que firmó el acta de defunción era Alfonso de Alzugaray, que había ya intervenido en la causa 167, esta siguió adelante durante casi tres años más, sin que nadie reparara en que el principal querellante ya había fallecido. Eso indica que había otras manos empujando del caso, más poderosas sin duda que las del desdichado padre de familia.

Pedro había tenido una larga prole, pero murió solo. El único hijo que le quedaba vivo no supo de su muerte hasta mucho después. Se hallaba luchando «contra el comunismo» con la División Azul, en el matadero de Leningrado. Pero esa historia la contaremos más tarde.

Y para seguir envolviendo en sospechas la extraña causa, el 23 de marzo de 1943 murió, en el hospital de Irún, Martín Larraburu Micheltorena, de 45 años. Según el acta, de pleumonía.[68] Temprana edad para morir. Aunque todavía no le habían imputado, estaba viendo cómo se le estrechaba el cerco. En 1938 declaró que no consideraba «a nadie del pueblo capaz de un crimen de esa naturaleza». Sin embargo, en agosto de 1940, su nombre había aparecido en el papel anónimo como uno de los presentes en la guardia, cosa que no negó aunque añadió que aquella noche «no apercibió nada anormal en el pueblo ni en el monte». Harto difícil de creer, si realmente ocurrió lo que se decía.

Era ya el cuarto cadáver de vecinos directamente relacionados con la causa 167. Dos de forma violenta; tres de ellos imputados; todos entre 35 y 53 años. Demasiados para atribuirlo al azar. Un aire denso, contaminado de superstición, se fue colando por todas las rendijas de los caseríos.

Por fin, bajan a la sima

De nuevo en manos del juez, un sumario que ya estaba «harto retrasado» en palabras del fiscal, iba a tener nuevos retrasos. Casi un año más tarde de la tercera reapertura, se recibió el informe del Cuerpo Nacional de Ingenieros de Minas, del distrito Gipúzcoa-Álava-Navarra, redactado por el ingeniero Fermín Marquina, sobre las posibilidades técnicas de entrar en la sima «denominada Zuloaundi, del término de Gaztelu».

El informe decía que el descenso del personal podía efectuarse «previa la instalación de un andamiaje o castillete, para soporte del torno de bajada, en el que se arrolle la sirga que lleve el cajón de descenso del personal, capaz para dos personas. El torno deberá llevar dispositivo de seguridad, que permita efectuar el descenso con lentitud, y trinquete de parada absoluta». Se calculaba que la madera necesaria para este andamiaje sería de unos 1,5 metros cúbicos, con su tornillaje correspondiente. Previamente al descenso, deberían efectuarse pruebas de la existencia de gases mefíticos. Y para alumbrado, lámparas de llama desnuda.

Advertían que la caldera del pozo, bien por aguas filtradas del interior, bien por los temporales de agua o nieve, podría encontrarse inundada, y entonces sería necesario el achique de la misma con instalación de bombas, «y el problema se complicaría extraordinariamente por la falta de fuerza para el movimiento del motor necesario.»

Marquina pedía palas, picos y azadones para descombrar, y todo el material debía ser transportado en camión hasta el inicio del camino de herradura, y carros de bueyes hasta la sima. «Por último, habrá que tener la seguridad de contar con dos hombres que se avengan a bajar a la misma y efectuar los trabajos en el interior. Para la maniobra del torno y demás auxiliares se calcula un mínimo de cinco hombres». El presupuesto final se estimaba en 6.000 pesetas, «y todavía no se puede garantizar que los trabajos tengan éxito, dadas las múltiples dificultades que pueden presentarse».

Siempre hay gente arrostrada: por el legajo del Juzgado aparece la oferta de un tal Manuel Fernández, minero de 66 años de edad y vecino de la calle Mercaderes de Pamplona, «que considera relativamente fácil proceder al reconocimiento de la sima». Si hubiera ácidos, cosa que no creía, se sacarían con un ventilador. Y la bajada, «con una escalerilla de alambre o cuerda».

Por fin, el 21 de mayo de 1945, se expidió por el Ministerio de Justicia la orden de pago de las 6.000 pesetas, para efectuar la diligencia de la sima. La Delegación de Hacienda de Navarra se hizo cargo.

Sin embargo dejaron pasar otra vez casi cinco meses, los de más luz y los más secos del año, para bajar a la sima. Habían transcurrido nueve años desde las primeras acusaciones. De ser verdad que alguien arrojara allí a la familia, y dada la dificultad extrema de retirar los cuerpos, había tenido más de 3.000 días para cubrirlos de piedras, ramaje y escombro. ¿Quién duda que haría eso, y más, para ocultar tal crimen?

En octubre se realizó la diligencia. Junto al *zulo* se hallaban presentes, amén del personal auxiliar necesario, el ingeniero de minas Fermín Marquina, el celador de obras del Ayuntamiento de Pamplona, Juan Juániz, y el obrero Gracián Ozcáriz, vecino de Iruñea. Parece ser que nadie llamó al querellante, que ya había estado en anteriores ocasiones, y no consta que le echaran en falta. En la embocadura de la sima, se montó el andamiaje preciso y el torno para el descenso. Previamente se había podado el haya adyacente, cuya frondosidad embarazaba el paso. Luego se hizo descender un conejo encerrado en una cesta, que permaneció en el fondo quince minutos, transcurridos los cuales fue izado, observándose que el animal estaba vivo. Seguidamente, el obrero voluntario Gracián Ozcáriz, «provisto de casco de bombero, traje adecuado, lámpara eléctrica, silbato para señales convencionales, arma blanca, hacha y un saco, descendió suspendido de la cintura al fondo de la sima, en que permaneció diez minutos». Cuando dio la señal de 'subida' fue izado a la superficie, y manifestó al juez –previo juramento de decir la verdad– «que nada había hallado, sino grandes troncos de madera y tierra 'tufa' desprendida de las paredes de la sima». Añadió que «por las características del fondo, en él debieran hallarse los cadáveres que buscan y cuanto a la sima fuera arrojado o hubiera caído, pues no existe comunicación subterránea sino por el contrario se halla completamente cerrado».

Así, en una sola bajada de diez minutos, quedó resuelta judicialmente una incógnita que llevaba nueve años planteada. El equipo que bajó en el 2014 en busca de Iñaki Indart, estuvo más de tres horas para el mismo resultado. Y varias veces. A Gracián Ozcáriz, obrero voluntario, le bastó estar diez minutos (no queda claro si en el mismo fondo o a lo largo de la sima) para afirmar que nada había hallado, salvo tierra y grandes troncos. Portaba un arma blanca y un saco. ¿A nadie se le ocurrió decirle que bajara una azada? ¿Escarbó con el cuchillo? ¿Y los grandes troncos? La leña era un bien preciado en la postguerra. ¿A quién le interesaba arrojarla a un agujero?

El juez García Sarabia se debió hacer preguntas similares, pues no parece que quedara del todo satisfecho. Tres días después de la bajada a la sima, preguntó a la Guardia Civil de Santesteban si era normal la existencia de troncos en el fondo de la sima «o si por el contrario, atendidas las circunstancias del lugar y caso, estima que tales troncos hayan sido arrojados intencionadamente». En el mismo auto volvía a citar a declarar a Teodora Larraburu y Petra Goñi, y acababa recabando al Ayuntamiento de Donamaria «un plano descriptivo del cementerio de Gaztelu, indicando los lugares en que se hayan efectuado enterramientos, desde julio de 1936, hasta la fecha».

El día 24, el cabo 1º y nuevo comandante del puesto de Santesteban, Máximo Razquin Antia, contestó al Juzgado indicando que «si se han hallado troncos en el fondo de la sima, estos habrán sido arrojados intencionadamente, toda vez que no es costumbre taponar las bocas de dichos orificios con troncos, sino más bien rodeándolos con una empalizada con alambre de espino artificial o bien con ramajes». Y añadía que «antes de la desaparición de dicha familia, la boca de la sima en cuestión estaba rodeada de estacas, pero nunca fueron estos troncos que obturasen dicho orificio».

«Arrojados intencionadamente». Algo lógico, porque los troncos no caen casualmente en las simas. Y si la Guardia Civil hubiera indagado más, habría sabido que ese dato era muy conocido en la comarca. La historia de los troncos todavía se puede escuchar en nuestros días y hasta ha saltado a la literatura, de la mano de Sánchez-Ostiz.

Últimas diligencias

Ese agitado mes volvió a declarar Petra Goñi, la hermana de Juana Josefa, ya vecina de Donostia tras el destierro de su marido de Santesteban. A la sazón tenía ya 55 años. Dijo ignorar quiénes fueron los autores, «de la muerte o asesinato», de su hermana y sobrinos, pero que por referencias sabía que uno de los autores era un tal Martín Larraburu, fallecido en Donostia. De los demás presentes citó a Melchor Alzugaray, «que en aquella época era el Alcalde de Gaztelu», y que también fueron a detener a su familia, o que estaban al tiempo de matarlos, «dos hijos de un tal Alejos, de Gaztelu y el amo joven de Comizcoborda».

Teodora Larraburu declaró que fue Alzugaray y Azcona quienes obligaron a Juana Josefa y su prole a salir de Gaztelu. «Fueron a una chabola cerca del pueblo y dicha chabola apareció quemada a los quince días y que cree que debieron morir dentro de la misma quemados, aun cuando no lo puede asegurar».

Para cumplir la última diligencia solicitada por el juez García Sarabia, se reunieron a las once de la mañana, en el cementerio de Gaztelu, el juez comarcal José Macicier; el médico titular de Donamaria, César Aguirre; el comandante de puesto de Donamaria y Gaztelu, Máximo Razquin, y el guardia civil Serapio Vélez. El auto dice que excavaron siguiendo un plano, a una profundidad de 70-80 centímetros. Estuvieron hasta las cinco de la tarde y dejaron la tarea, quedando la Guardia Civil a la custodia del cementerio. Al día siguiente, a la misma hora, continuó la diligencia «y aparecieron cinco esqueletos que, según manifestaciones del médico, pertenecían a cadáveres inhumados por lo menos hacía veinte años, así como una cabeza de fémur y dos costillas del mismo tiempo».[69]

Fin del sumario

Una nueva sorpresa nos iba deparar la lectura de los últimos folios del sumario. El 25 de octubre de 1945, el procurador de la acusación, Vicente San Julián, dijo que «ejercitando la acción privada a nombre de Pedro Sagardía Tellechea (sic) ha llegado a mi conocimiento la muerte de mi representado». Y solicitaba ser «cesado en la representación que venía ostentando», al haber desaparecido «el acusador particular, Pedro Sagardía Tellechea», citando erróneamente, por segunda vez, el segundo apellido.[70] Y aportaba una certificación de la defunción ocurrida el 2 de diciembre de 1942, es decir, casi tres años antes. ¿Es creíble que sus abogados no se hubieran enterado antes? ¿Cómo pudo seguir adelante el proceso, durante tres años, sin el principal querellante? ¿El pariente militar, otra vez? Misterios y despropósitos de la causa 167.

En cuanto al error del segundo apellido, puede que no lo fuera tanto. Pedro Antonio Sagardía Ajesta tuvo un pariente llamado Fermín, que se casó con Josefa Tellechea. Tuvieron 8 ó 9 hijos, por lo que es posible que alguno de ellos siguiera de cerca el desarrollo de la causa, que afectaba a sus tíos y primos. Y que en estos tres años de ausencia de Pedro, estuvieran tan cerca de su abogado que hizo que este acabara confundiendo los apellidos de los parientes con los de Pedro. Pero es otra de las incógnitas que quedarán sin resolver en este libro.

Sin querellante oficial, el proceso siguió adelante y entró en una fase crítica: el 13 de diciembre, el juez ordenó embargar los bienes de los procesados. Se les pidió certificación catastral e inventarió los bienes de cada uno de ellos el secretario de Donamaria y Gaztelu, Manuel Ciganda, precisamente, el nombre de uno de los acusados. Pariente tal vez, porque el otro no sabía firmar. Con muchos procesados y pocos habitantes, la endogamia sumarial parecía insoslayable. El último día del año se ordenó el embargo. A los que no tenían bienes les embargaron hasta la vacas. «De raza del país», precisó el escribano.

El día 15 de enero hubo un último intento del juez por localizar a José Martín Sagardía, el hijo mayor de la familia, pero este, tras su regreso de la División Azul, había optado por perderse en Bajanavarra, cerca de Garazi, adonde al parecer no llegaron ejemplares del *Boletín Oficial* que lo reclamaban.[71]

Por fin, el 31 de enero de 1946, el juez García Sarabia declaró terminado el sumario. Habían transcurrido ocho años y cinco meses desde su inicio. Al día siguiente, avisó a los acusados para personarse en diez días con procuradores y abogados. Unos días más tarde, designaron a Luis Arellano como letrado. De los diez acusados, siete firmaron y tres lo hicieron por delegación. Alguno había aprendido a firmar a lo largo del proceso. Finalmente, los procesados eran únicamente los que tomaron parte en el *batzarre* que acordó la expulsión de la familia. Quedaban fuera casi todos los que estaban de guardia aquel plenilunio de agosto y, por supuesto, los poderes del lugar: el *jauntxo* local Miguel Taberna, el sargento de la Guardia Civil, Gregorio Zubizarreta y el cura don Justo.

Causa sobreseída

Superadas por fin todas las trabas procesales, llegó la hora de poner punto final al incómodo proceso. El 18 de marzo de 1946, los tres jueces de la Audiencia de Navarra, Aureliano Bragado, Julio Ubeda y Elisardo Sotes, emitieron el auto de sobreseimiento de la causa 167. Vale la pena leerlo para comprobar que la estremecedora exposición de motivos encaja muy poco con la resolución final:

> *«Resultando que el sumario que dimana del presente rollo fue incoado por motivo de que, a mediados de agosto de 1936, por los días 13 y 14, se reunieron en la Sala del Concejo los concejales del Ayuntamiento de Donamaría Gaztelu, Melchor Alzugaray Gamio, alcalde pedáneo y José María Sarratea Arregui, concejal, con los vecinos de dicho pueblo Agustín Irureta Indart, fallecido, Agustín Gragirena Urroz, Bautista Oteiza Graciarena, Vicente Micheo Ochandorena, José Azcona Larraizar, Nicolás Migueltorena Sagardía, Manuel Ciganda Larrea, Joaquín*

Ilarregui Gamio, Pedro Lazcano Picavea y José Antonio Eraso Ochandorena, fallecido, todos los cuales, bajo pretexto de que la vecina de dicho pueblo Juana Josefa Goñi cometía raterías en aquel término, acordaron su expulsión del pueblo, conminándola a que se marchase y en ausencia de su marido, lo que verificó con la familia a las 48 horas, con sus hijos Joaquín de 16 años, Antonio de 12, Pedro de 9, Martina de 6, José de 3 y Asunción de 2, instalándose provisionalmente en una chavola construida con palos y ramas en un bosque próximo, permaneciendo allí hasta el 30 del mismo agosto, en que apareció quemada la chavola y desaparecida la mencionada mujer y sus hijos, cuyo paradero desde entonces se desconoce a pesar de las gestiones y diligencias practicadas, siendo procesados los mencionados y en libertad provisional.

Resultando que remitido el sumario a esta Audiencia con auto de conclusión y pasado al Ministerio Fiscal, interesa en el precedente dictamen la confirmación de dicho auto y sobreseimiento provisional, conforme al número 1º del artículo 641 de la Ley de Enjuiciamiento criminal.

Considerando: que las diligencias sumariales practicadas son suficientes para el esclarecimiento de los hechos que las originaron, y de ellas no aparece debidamente justificada la perpetración del delito, procede confirmar el auto de conclusión y acordar el sobreseimiento provisional».[72]

Unos días más tarde, el juez García Sarabia emitió un «Cúmplase lo mandado por la Superioridad» y, en consecuencia, se alzaban «sus procesamientos y demás restricciones acordadas», y ordenó la devolución de la fianza de 11.000 pesetas». Siete de ellos tenían trabados sus bienes.

El 2 de abril, el secretario de juzgado de Donamaria notificó a los diez encausados la resolución judicial. Todos firmaron el enterado, a excepción de los que alegaron no saber hacerlo.

Era el final. Habían pasado casi 10 años de los hechos. Los rumores –otra vez rumores– aseguran que desde las altas instancias ordenaron al general Sagardía que, de una vez por todas, abandonara tan enojoso asunto, que solo servía para empañar la imagen de la España Triunfante. El hombre poderoso, que supuestamente apadrinó la causa 167, había tenido que ceder. «La Justicia no es otra cosa que la conveniencia del más fuerte», dijo Platón.

¿Qué fue de ellos?

Durante décadas se creyó que José Martín, el hermano mayor de los Sagardía Goñi, había desaparecido. Un día, en el Juzgado de Donamaria, apareció su acta de defunción. Había fallecido recientemente, el 14 de abril de 2007, a los 88 años. Una vida larga y aparentemente feliz, según supe luego. En el acta lo decían casado y su último domicilio había sido en la pamplonesa calle Dr. Labayen, nº 19, en el barrio de San Jorge. Los vecinos me dijeron que su esposa, Gloria Pedroarena, todavía vivía en la Misericordia de Pamplona. Allí acudí. Esperaba ver una mujer muy anciana, pero me sorprendió una mujer lúcida a sus 86 años. Alta y espigada, arrastraba con dignidad la belleza de su juventud. Tenía ese aire elegante, aristocrático y a la vez humilde, que abunda entre las *etxekoandreak* del país.

Al presentarme aceptó de inmediato hablar conmigo. Me sorprendió cuando sacó de la cartera un artículo de prensa que hablaba del tema. Era una columna del periódico *Egin* que yo mismo había escrito 20 años antes. Roto el hielo, me contó la historia, y me la ilustró con fotografías de su marido, de joven, de requeté, de novio, de jubilado.

Efectivamente, los Sagardía habían existido y me emocioné, imaginando en su rostro los rasgos de sus hermanos.

José Martín había marchado a la guerra en noviembre de 1936, con los requetés, algo que le reprochó ásperamente su tía Petra, habida cuenta lo que habían hecho con su familia. Tras la guerra, en 1941 lo reclutaron en la División Azul, y fue uno de los 50.000 voluntarios que Franco envió para combatir, junto al Tercer Reich, a la Unión Soviética. De las cuatro provincias vascas y de Cataluña fue de donde menos voluntarios salieron. ¿Qué hacía entonces un requeté navarro en una división falangista? Puede ser que fuera cooptado por uno de los impulsores de la famosa división, su pariente el general Sagardía.

José Martín, carbonero de Gaztelu, no sabía leer ni escribir, y entonces apenas sabía hablar castellano, así que imaginamos sus penurias en el sitio de Leningrado, como soldado de la *Wehrmacht*. Alguna fotografía lo recuerda, con uniforme alemán, junto a sus compañeros de la 5ª Compañía del Batallón 259, que le apodaban «Navarro». Muestra su mano, al parecer herida. Solo contaba que pasó mucho frío, que lo hirieron y que le dieron una medalla por ello. Según nos dijo su esposa, su tío el general le aconsejó que estudiara y siguiera en el Ejército, pero no le hizo caso.[73]

A su regreso se instaló cerca de Donibane Garazi, después en Luzaide y finalmente de criado en Roncesvalles, en casa *Manex*. Allí conoció a Gloria, la espigada moza del caserío *Bordia*, en Nabala, entre Burguete y Orbaitzeta. Ella lo recuerda como guapo, simpático, trabajador, buen cazador, alegre y cantarín con sus amigos. En la foto de boda se les ve elegantes con sus trajes negros. Era 1964. Cuatro años después fueron a Pamplona y él trabajó en el matadero hasta su jubilación. No pudieron tener hijos. Esa rama de los Sagardía parecía destinada a desaparecer.

José Martín mantuvo sus creencias religiosas, reliquias quizás del ambiente familiar. No expresó querencias políticas y sufría cada vez que recordaba a su familia, sobre todo a sus hermanos pequeños, de los que siempre guardó un recuerdo entrañable.

—Yo, de lo ocurrido, sé más por lo que me contaron los de fuera que por lo que me contó él. Nunca quiso hablar de ello, lo llevaba muy dentro –recuerda Gloria.

Varias veces regresó a Gaztelu, a la romería de Santa Leocadia, y se encontró de frente con los que expulsaron a su familia, sin que nos haya llegado testimonio de aquellos cruces de miradas. Según Gloria, José Martín mantuvo amistad hasta el final con Juan José Ibarra, un guardia civil nativo de Sunbilla, con el que tenía largas pláticas en euskera. Este le confirmó los rumores de la desaparición de su madre y hermanos, y le contó que el general Sagardía amenazó con arrasar Gaztelu en represalia. Incluso lo acompañó en alguna ocasión a la romería. Dicen los vecinos que Gloria cuidó con amor, hasta el final, al último de los *Sagardi*.

La búsqueda de Petra Goñi Sagardía, la hermana de Juana Josefa, fue más fácil de lo esperado, gracias a la eficiencia de los trabajadores del Registro Civil de Donostia, todavía sin privatizar. En un minuto escaso y de forma gratuita, conseguí la partida de defunción y su último domicilio registrado, en la avenida Isabel II. Un poco más tarde tocaba el timbre de la casa; contestó una mujer y desde el portero automático le pregunté por algún descendiente de Petra Goñi. Resultó ser su hija, me dijo que tenía 88 años y que no quería vendedores. Al decirle que tenía cosas que contarle de su familia, me contestó con un grito:

—¡Quieres hablar de mi tía!

Me impresionó que me leyera el pensamiento desde el séptimo piso; parecía que aquella mujer llevaba toda su vida esperándome.

Al instante estaba en la mesa con Asun Zozaya Goñi, una mujer en vaqueros y de gestos juveniles, pese a la edad.

—¡Ay qué guapa era mi tía! Alta, pelo rubio, ojos azules... –fue lo primero que me dijo.

Su madre, Petra, había muerto en 1986, a los 96 años. Toda su vida lloró a su familia y lamentaba no haber podido salvar alguno de los pequeños. Y se quejaba:

—¡Cómo pudieron irse el padre y el hijo al Requeté, con lo que hicieron a su familia!

En la misma calle vive Nati, la menor de las Zozaya Goñi. Tiene menos años, pero los recuerdos más ordenados. Luego conocí a Tina, «la más parecida a la tía Juana Josefa» dijeron. Las hijas han heredado el tic izquierdista de su padre y la elegancia de su madre. Nati trabajó en un laboratorio francés toda su vida laboral. Asun fue diseñadora de moda en Brasil y modista de la élite donostiarra. Me dieron una foto de su madre, ya de mayor, y por sus bellos rasgos nos aproximamos a los de Juana Josefa.

—Vimos llorar tanto a la *amatxo*, que siempre hemos tenido la sima presente. Ya es hora de que alguien haga algo en ese lugar. Ahora casi no podemos salir de casa, pero contad con nosotras para lo que haga falta.

Repartidos entre Irun, Senpere, Sunbilla, Donostia e Iruñea, he encontrado otros parientes, más o menos cercanos, de los Sagardía. Uno de ellos sobre todo, Felipe Sagardía, ha sido de gran ayuda en la investigación. Me lo situaron vagamente en Sunbilla, y allí me presenté una mañana temprano. No había nadie por la calle y, a ciegas, pregunté al primer hombre que vi, saliendo de su casa.

—*Egunon! Ba al dakizu non bizi den Felipe Sagardia?*

Por la forma en que dobló el entrecejo me di cuenta de que había acertado. El azar seguía jugando conmigo en esta historia. Le pregunté sin ambages que buscaba parientes de los de la sima de Gaztelu. Vi como se le nublaban los ojos y me llevó a su casa, extremadamente ordenada. Escuchó en silencio mientras me observaba con mirada astuta, de hombre corrido por el mundo. Antes de lo que imaginaba accedió a hablar, en un sugestivo euskera bajonavarro. Pero también hablaba perfectamente castellano y, además, tenía bachiller en francés y en inglés. Raro para un navarro normal... salvo que haya sido un fronterizo.

Felipe se crió en el caserío *Mendiburia*, de Esterenzubi, en la casa solar del cantante Eñaut Etxamendi, vaciada por la emigración a América. Cuando le dije que yo era amigo de Eñaut, y le entoné una de sus canciones, acabaron todos los recelos. Su padre, Pedro, de joven aizkolari, era baserritarra, contratista a destajo de montes, transportista fronterizo y, como tantos, estraperlista en la postguerra. Tenía siete hijos que mantener. Por un asunto menor, a Juanito, el hijo mayor, un gendarme le pegó un tiro que le rozó la sien. Y hacia 1968, a Jose Mari, otro hermano, que andaba cerca del movimiento independentista Enbata –sin duda por influencia de Eñaut– lo detuvieron los gendarmes y le pegaron tal paliza que lo dejaron totalmente trastornado. Al ver mi cara de sorpresa, se adelantó a mis preguntas:

—*Ze uste duzu direla jendarmak? Besteak bezala!*

Tenía razón, todos son iguales. Los matices sobraban. Jose Mari fue perdiendo facultades y acabó suicidándose. Tenía 26 años. Nadie en la familia tuvo dudas de la causa.

Con 21 años, Felipe no pudo resistir la llamada de América. Una gota más en la regata que desangraba Euskal Herria. En Arizona, los hermanos de Eñaut le esperaban. Anduvo dos años de pastor y regresó a *Mendiburia* tras la muerte trágica de Jose Mari. Al tiempo, volvió a California, de nuevo *artzai*. Pero Felipe era hombre de frontera. Dejó las ovejas y acabó en El Paso, enamorado de una abogada mejicana. En cuatro años perdió la compañera y el hijo recién nacido. Ya nada sería igual. Tuvo su primer infarto. Se instaló en Canadá y por trajinar en las fronteras lo detuvieron. Pasó tres años en la cárcel y se marchó. Sudamérica tenía muchas fronteras que trasegar. Tres años después lo detuvieron en una infausta escala en Miami y lo empaquetaron hacia Canadá, a terminar su condena. Acabó el bachillerato en inglés. Cumplida su pena, la policía canadiense lo deportó y lo acompañó hasta Madrid, con la intención de que lo apresara la Guardia Civil. No había cargos. Regresó libre a Euskal Herria y se instaló en casa de su hermana, en el barrio Iturrama de Pamplona. La segunda noche, vio tirar la puerta de la casa y de su cuarto, y unos encapuchados lo apuntaron con sus metralletas. Felipe, en pijama, les pidió la orden de entrada. Algo absurdo, cosa de los nervios. Todos son iguales. Venían a por su sobrina que, decían, andaba en política, como tantos jóvenes en aquellas sazones. Felipe Sagardía confirmó que estaba de nuevo en el país de los vascos.

Con su segundo infarto a cuestas, Felipe quiere llegar hasta el final. Siempre supo que era pariente de los de la sima, se considera con una deuda pendiente y no quiere morirse sin hacerles un entierro digno. Y tiene sus propias teorías:

—Aquí las cosas no han cambiado mucho. Mira lo ocurrido ahora con ese chaval de Legasa, Iñaki. Si esto lo analiza un criminólogo, seguro que encuentra algún nexo de unión, siquiera sicológico, ente lo que ocurrió entonces y lo de ahora.

En cuanto al resto de protagonistas, dicen los rumores que todos murieron jóvenes, lo cual, como tantos otros rumores, no es cierto. Sí es verdad la muerte temprana de tres de los procesados, pero otros tuvieron larga vida. Micheltorena, murió a los 84 años, Oteiza a los 85; Grajirena a los 67; Ilarregui a los 78; Alzugaray a los 75.[74] De alguno dicen que murió obsesionado con el tema, y entre alucinaciones febriles veía aparecer a Juana Josefa con sus hijos en la puerta de su dormitorio, como invitándole a marchar con ellos. El *jauna* de *Gaxtelenea* se pasó la vida repitiéndose: «Tuvimos que haber ayudado a aquella familia».

Teodora Larraburu, la íntima amiga de Juana Josefa, tuvo una larga vida. Mantuvo la amistad con Petra, y murió en Donostia en 1975, a los 81 años. Merced al buen hacer de los funcionarios municipales, pude conseguir la dirección de su hija, Carmen Gubia Larraburu, de 94 años, que vive todavía en una vivienda tutelada de Astigarraga. Acudí nervioso a entrevistarla, ya que podía ser una testigo excepcional: tenía 14 años cuando los hechos; su madre era íntima amiga de Juana Josefa; su familia fue también expulsada de Gaztelu; sin duda tuvo que conocer a los niños de su edad que desaparecieron... Me dejó impresionado: salvo algunas fotos de su madre y cuatro datos, nada pude conseguir. Tenía borrados de la memoria esos años infantiles y aseguraba que su madre jamás le había contado nada. Entrevisté también a su hija Amaia, que tampoco había oído nunca hablar en casa sobre el tema. Me quedé con la duda si lo de Carmen era un caso prodigioso de amnesia autoinducida o, simplemente, no quiso contarme nada.

También el general Antonio Sagardía fue octogenario. Falleció en Madrid, en 1962, con 82 años. Dispuso que fuera enterrado en Donostia. El hombre que prometió arrasar Gaztelu, volvió a ser citado en los periódicos en 1994, cuando tres de sus hijos, solteros y ya octogenarios, murieron a la vez en su domicilio de la calle Narrika de Donostia, por inhalar el monóxido de carbono de una estufa.[75] Cosas de la democracia a la española, un fascista de este calibre sigue teniendo calles y placas que le honran, en Madrid y otros lugares del Estado. En el país que le dio el apellido ha sido borrado del todo. Ni la *Gran Enciclopedia de Navarra* lo cita.

Nuestra sima y la ONU

En cuanto a la sima, nadie volvió a hablar nada de ella, de manera pública, hasta la aparición en 1986 del libro *Navarra 1936. De la Esperanza al Terror.* Recientemente se ha citado a la de Gaztelu como una de las numerosas simas, cavernas y pozos adonde fueron arrojados cadáveres en la guerra civil. Euskal Herria, con cinco simas, cuatro de ellas en Navarra, es el territorio del Estado que más tiene. En la de Otsoportillo, sierra de Urbasa, se cree que fue donde arrojaron más gente. En la actualidad está sellada, y un monumento junto a la boca recuerda lo acaecido. En Arrasate se halla la sima Kurtzetxiki, donde fueron encontrados los restos de dos fusilados. En la de Kristoleze, en la sierra Andia, a unos 40 metros de profundidad, fueron hallados restos de diez personas. De la del raso de Urbasa, fueron sacados e identificados los restos de otras diez. En la sierra de Labia se encuentra la sima de Ardaiz, de 45 metros, donde había dos cuerpos. La sima de Legarrea en Gaztelu es la más profunda, 50 metros de vertical, y la única que ni se ha vaciado, ni se ha sellado, ni se ha limpiado, ni se ha dignificado.[76]

Y no será porque algunos no nos lo recuerden. El día 21 de diciembre del año 2010, reunida la Asamblea General de las Naciones Unidas, decidió declarar el 30 de agosto «Día Internacional de las Víctimas de Desapariciones Forzadas». Una casualidad, sin duda, pero de 365 días del año eligieron precisamente el de la desaparición de la familia Sagardía Goñi. Y desde entonces, todos los años, la ONU interpela la irresponsable dejadez de nuestras autoridades en este y en tantos otros casos. Pero singularmente en este, que hace efeméride.

La exposición de motivos de la declaración 65/209 parece pensada para nuestra historia. La Asamblea General expresaba su preocupación porque «la sensación de inseguridad que esa práctica genera no se limita a los parientes próximos del desaparecido, sino que afecta a su comunidad y al conjunto de la sociedad». Y advertía que «debe prestarse también especial atención a los grupos de personas especialmente vulnerables, como los niños y las personas con discapacidad».

Parece mentira que la ONU sea la única institución oficial que hasta el momento se ha preocupado, siquiera de forma genérica, por la sima de Legarrea. Y cada 30 de agosto nos recuerda que en Gaztelu seguimos teniendo algo pendiente.

GAZTELU 2015

ERAN CARNAVALES cuando decidí aislarme unos días para redactar este libro. Todavía no tenía claro si debía hacerlo. Me preguntaba si un extraño debía ser el primero en arrojar la piedra a ese piélago pacífico de Gaztelu; remover recuerdos; alterar conciencias. Dudaba si había que romper el tabú antes de que se cristalizase en leyenda, ese bosque de la memoria colectiva donde se mixturan para siempre la verdad y la fábula.

Inicialmente pensé encerrarme con los benedictinos de Lazkao, como en otras ocasiones, y disfrutar de su hospitalidad austera, su fecunda biblioteca y su parco lema fundacional *Ora et labora*, que yo solía reducir a la mitad. A última hora una corazonada me alteró los planes. ¿Por qué no hacerlo en el mismo Gaztelu? La memoria en donde ardía, que diría Quevedo. Una llamada a *Gamioa Etxea*, la única casa rural del pueblo, y me puse en camino. Tendría que ser discreto y no despertar sospechas en un lugar con un tema tan palpitante. Además, yo era algo conocido, hasta había firmado artículos sobre el tema, con foto incluida. No me interesaba que la gente me cerrara la puerta antes de decir *egunon*.

Llego un sábado de carnaval. Los críos y crías del pueblo han ido por los caseríos recogiendo huevos, lomo, *txingarra*, roscos y laminurías que luego comerán juntos en el *Ostatu*. Muetes a granel, pregoneros de un pueblo vivo. Todos hablan el vascuence dialectal de la comarca. Veo ikurriñas en algunos balcones y en los parabrisas de los coches; lauburus tallados, nombres de las casas escritos en perfecto euskera. Un pueblo abertzale, con los matices que se quiera. En casa *Gamioa*, Susana e Iñaki me reciben con exquisita amabilidad, pese a mis medias verdades y ambigüedades, que creo detectaron al instante. Son una pareja con la ecología como regla monacal. Buena gente. Me alivia saber que no son oriundos del pueblo: compraron la casa y la adaptaron para *landetxe* hace unos años. Casón espléndido, una patena y precio muy asequible. Comida casera que transporta a la niñez: huevos y pollos de corral, recetas tradicionales, autoabastecimiento. Me muestran mi habitación, cuya ventana da justamente enfrente de casa *Arretxea*, ahora muy arreglada. Me quedo.

Son ellos los que pronto sacan el tema de la sima, de actualidad desde la aparición del joven Indart. Ahora es la comidilla del pueblo, pero llevan más de diez años en Gaztelu y jamás nadie les ha contado nada de lo ocurrido en 1936. Si alguna vez han hecho un amago de saber algo más, han sentido cómo la gente lo elude, incluso se molesta. Solo con los vecinos nuevos, sin pasado en el pueblo, han podido comentar el tema. Recuerdan que, el año de su llegada, manos anónimas colocaron un cartel en la puerta del *Ostatu* llamando a los vecinos a recordar a la familia desaparecida, hecho que se repitió más veces.

Les sorprende mi interés por los nombres de las casas, los montes, las fuentes y costumbres locales, con los que yo pretendo, sin ellos saberlo, reconstruir y entender un pasado. Me muestran las escrituras de la casa y reconozco la firma de su dueño en los años treinta: Joaquín Ilarregi Gamio, uno de los procesados. Les digo que lo conozco y se sorprenden de nuevo. Acabo explicando a Iñaki y Susana el verdadero motivo de mi extraña estancia.

Salgo a reconocer la «aldea gala». Destacan enseguida las casas antiguas, que estaban en pie en los años 30. Casi todas están cuidadas con esmero, aunque alguna blasona cierto abandono. Como cualquier cosa que atente contra la rutina, soy observado. Pese al mal tiempo, quiero subir a la sima, lo necesito. Así que marcho a Legasa y desde allí busco la pista que trepa al monte Irisoro, desde donde espero llegar a la sima por la parte de atrás, sin levantar sospechas en Gaztelu, siempre recelosos, y esta temporada todavía más, con los que husmean por Legarrea.

—*Malda bukatzen delarik, eskuin* –me había indicado días antes un anciano de Legasa, el mismo que me contó que habían tirado por allí una familia de *ijitoak* (gitanos). La dirección al menos era cierta.

La subida al monte es espectacular. Al fondo, el Mendaur con capa blanca, como los montes que custodian el embalse de Urrotz. Abajo se ve Gaztelu, Santa Leocadia, el pequeño *Falcon Crest* de los Indart, todo parece un Belén de nuestra infancia, con los tejados rojos y ovejas inmóviles sobre prados de musgo. Una evocación pública de la paz y un soterrado resquemor en su seno. Al final de la cuesta, a la izquierda, una cuidada borda adorna el paisaje junto a una manada de yeguas del país. A la derecha, un camino de herradura, como se decía antes, hollado hoy día por cuatrorruedas de muchos caballos.

Llueve. No sé si *sirimiri* o *langarra* –esa manía del euskera de distinguir las diferentes lluvias– pero en cualquier caso es un calabobos. Me calzo las botas de monte, la txapela y una makila, y comienzo a andar hacia la zona donde supongo que estará la sima. Acierto.

El haya gigante sigue ahí, salida de la base en varios trozos, que parecen los retoños de lo que cortaron en la bajada de 1945. El lugar, la soledad y el silencio estremecen. No sé por qué me pongo a cantar el *Gure Aita*, a falta de mejor liturgia. Pienso que a Juana Josefa le hubiera gustado. Con su permiso tiro una piedra al fondo. Hasta oír el golpe final, los segundos se hacen eternos. La imaginación te lleva a reconstruir los hechos y el corazón se va encogiendo como una pasa. Allí mismo el camino comienza a bajar hacia la parte del Gaztelu, por donde los trajeron. Voy despacio, sintiendo el sendero. Paso junto a una borda que están arreglando y me miran extrañados. Debo parecer un alma en pena. Al final salgo a una pista forestal y, al lado, la hondonada con la txabola derruida, la última morada de los Sagardía Goñi. Cuatro paredes caídas sobre las que la familia colocó unas ramas y helechos. No hay rastro del incendio. Está semicubierta de estiércol, que arrojan en grandes cantidades desde lo alto de la pista. Es el único lugar que he visto en Euskal Herria en el que el *zimaurra* se tire a espuertas por una ladera, cuando se paga por echarlo en los campos. Y tenía que ser precisamente sobre la txabola de los Sagardía. Sin duda tendrá alguna explicación, pero a mí en ese momento me pareció una desagradable irreverencia. No será la única.

De regreso hacia la sima, cuento los pasos. Cuesta arriba, la imaginación reconstruye la posible escena de aquella noche del 30 de agosto de 1936. Atrás, la txabola ardiendo, alegoría del infierno, iluminando la noche y ocultando las luces de los caseríos de Gaztelu y Legasa. El resplandor del incendio apaga también las estrellas, que se ocultan avergonzadas. Es noche de luna llena, que hará de sudario. El pavor agudiza el sofoco de la subida. Azuzados por teas ardiendo, los más pequeños se aferran a la madre o a sus hermanos mayores. Juana Josefa, con su avanzada preñez, anda con dificultad. Como en la subida al Gólgota, tropiezan, caen, se ayudan entre sí, arrebañados unos con los otros. Posiblemente nadie pensó en huir y abandonar al resto. Pero tampoco darían facilidades: Joaquín tenía ya 16 años, Antonia 12, tenían que ser varias personas las que les empujaban senda arriba. Llego al agujero, termino de contar los pasos y calculo: 450 metros de vía crucis.

Imagino que cuando llegaron a la boca de la sima y la familia vio el final que les esperaba, el llanto y los gritos tuvieron que estremecer a las hayas. Quizás alguna vez la literatura recree ese momento, yo no seré tan osado. El cine ofrece más posibilidades y, de hecho, recuerdo que hay una película que trata el mismo tema: una aldea en el Japón rural con una familia con muchos hijos y necesidades, una decisión tribal y un socavón en la tierra, donde los entierran vivos, en una escena que difícilmente pueden olvidar los espectadores. En Legarrea, ¿los arrojaron uno a uno delante del resto? ¿Es cierto lo que se dice de que los echaron vivos? ¿O les concedieron la gracia de un tiro antes de dejarlos con la posibilidad de agonizar en el fondo? ¿Y si fuera cierto que solo se hicieron cuatro disparos? José y Asunción, los benjamines, ¿fueron los primeros o los últimos? ¿Vieron los hijos caer a la madre o fue a la inversa?

Todas las respuestas están en el fondo de la sima. Un cuidadoso vaciado y un análisis forense mostraría la secuencia: cómo finaron, dónde, en qué orden. ¿Vale la pena averiguarlo? Creo que sí. Ya dijo Valle Inclán que las cosas no son como son, sino como se recuerdan, y la creencia que ahora impera es tan horrorosa, que difícilmente la puede empeorar la verdad. Un enterramiento digno en el cementerio de Gaztelu o Donamaria tranquilizaría a todos. A los creyentes, porque entrarían con paso más seguro en el Valle de Josafat. A los que no creemos, porque pensamos que en el fondo de Legarrea hay algo más que fosfato de calcio, cubierto con derrubios y basuras.

Pero incluso podría mostrarse la otra hipótesis, en apariencia lejana: que la sima esté vacía. Y la gente bienpensante, que ha sostenido siempre que todo fue una fábula, tendría también un consuelo.

Lo que resta de la familia Sagardía, las asociaciones de la memoria y las instituciones, tienen la palabra. El noble pueblo de Donamaria y Gaztelu también tiene mucho que decir y hacer: exorcizar su pasado, echar los fantasmas del interior de sus caseríos, afrontar el futuro sin una carga que no es suya, salvo si siguen empeñados en guardarla y ocultarla. Y por ende, en recrearla.

Pero si se decide dejar la sima como está, hay que dignificarla. Que sea un lugar tranquilo de reposo, de liturgia, de reflexión sobre nuestra historia y nuestra condición humana, capaz de las mayores glorias y de lo más abyecto. Una condición de la que los euskaldunes, pese a nuestro secular pacifismo tan glosado por los clásicos, no hemos sido tan excepción. Donde, por ejemplo, una placa ilustrativa y una estela discoidea recuerden a la familia desaparecida, esté o no allí. Un lugar con algo más cálido alrededor que unas estacas y un alambre de espino. No se puede consentir el sarcasmo de ver en ese entorno carteles como «Zona de perros»; «*Ehiza barruti publikoa*» (Coto público de caza); o el escarnio que rezaba en la boca de la sima: «*Zikinkeriak botatzea debekatuta dago* / Prohibido arrojar basuras», colocado para más inri por el Gobierno de Navarra. Tampoco es justo que se siga sedimentando la leyenda de que las víctimas arrastraran alguna lacra social –indeseables, promiscuos, forasteros, gitanos– que explicara cierta reacción xenófoba. ¡Y esa txabola cubierta de estiércol!

Legarrea, tal y como está ahora, es un lugar infame e infamante, un baldón que a todos y todas nos deshumaniza, y que avergüenza a Euskal Herria.

La lluvia acaba calándome la txapela. Emprendo la bajada hacia Gaztelu. A pocos metros del pueblo, entro en el *Herriko Hilerria,* el cementerio. No hay ostentación, todos tienen un espacio similar y los panteones son incluso más modestos que las casas solariegas que representan. Estelas discoideas, textos en euskera. Hay humildad, ausencia de esa arrogancia que solemos ver en otros cementerios, con sus pomposos mausoleos, «Propiedad de». Busco el nombre de mis protagonistas y me doy cuenta que estoy en una necrópolis vasca, donde el nombre de la casa basta para identificarse. No verás un Alzugaray, pues un simple *Bidauztea* los acoge a todos. Lo mismo con *Larretoa, Komizkoborda, Enekenea*... Como el dolmen de Etekogaina, que representa a todos los gazteluarras pretéritos. El vasco, que tanto suele descollar su individualidad fuera, se hace gentilicio con los de casa, con los del pueblo. Veo que hay mucho espacio en el cementerio, y pienso que los que vivieron en *Arretxea* también estarían aquí, si les hubieran dejado, o bien podrían estar mañana, si algún día Gaztelu decide reconciliarse con su pasado y hacerles un sitio.

Es la una. Como todos los días, Pilartxi, la *etxekoandrea* de *Bidauztea,* toca las campanas de la iglesia. Pese al frío, me muestra amablemente el templo y me cuenta las virtudes de San Ramón, el patrono de las preñadas. Me habla luego de las fiestas, de los largos *jautzis* y *zortzikos* que se bailaban en la cancha del frontón paredaño. No me atrevo a incomodarla, preguntándole por el pasado.

De allí voy a *Larretoa,* donde la *amatxi* Ascen me vende unos quesos de oveja excelentes, hechos por ella y a precio de regalo. De allí doy un rodeo hasta la ermita de Santa Leocadia, donde me abre la puerta la *serora* del lugar, Mari Luz. Hablo largo con ella y sus hermanos; se nota que, pese a la cercanía, no son de Gaztelu, y hablan con más soltura. Sale el tema del joven Indart aparecido en la sima y me sorprende de nuevo la contundencia con la que todo el mundo señala al autor del crimen. Llegados a ese punto, es fácil resbalar al pasado y acabamos hablando de los Sagardía, a cuyo hijo mayor conocieron.

—Entonces la culpa de todo la tuvo la Guardia Civil... y lo peor es que después de desaparecer la familia, siguieron faltando gallinas –me resumen con la misma contundencia.

Me acerco a la posada del pueblo, el *Herri Ostatua* que fuera ayuntamiento y donde se tomaron aquellas tristes decisiones. Allí me hablan sobre la vida cotidiana, el reparto de la leña comunal, los trabajos en *auzolan* para mejorar lo colectivo, la buena convivencia y su pelea histórica para que Donamaria les siga respetando como pueblo y no como barrio. Una chica muy guapa, Sarratea me dicen, deja en la barra unos cuantos ejemplares atrasados de la revista en euskera *Ttipi-Ttapa*. «Para que pueda leerlas más gente, porque vale la pena» me dice. En una de ellas leo que Gaztelu tiene hoy una población de 122 almas, 62 hombres y 60 mujeres. Veo también el resultado de las últimas elecciones, en las que Bildu gana con amplia mayoría. Los seguidores de los Aizpún, que arrasaban en las elecciones durante la República, e incluso al inicio de la Transición, son ahora exigua minoría.

¿Qué tiene que ver este pueblo, comunalista y solidario, con su pasado? ¿Por qué tienen que llevar a sus espaldas esa carga, pesada y oculta, como si fuera un nuevo pecado original? ¿Por qué soportar que *Wikipedia* le dedique apenas ocho líneas a definir el pueblo y muchas más a especular sobre el «Crimen durante la guerra civil»? El episodio «fue olvidado, convirtiéndose en tabú», acaba *Wikipedia*. Tabú sí, pero de olvidado nada. Y solo está muerto lo que está bien olvidado.

Regreso a casa *Gamioa*, y me encuentro allí a dos policías de paisano, preguntando a Iñaki y Susana si vieron o sintieron algo aquel día de marzo de 2008, en el que tiraron a la sima a Iñaki Indart. El mismo interrogatorio lo han ido haciendo por todas las casas y, sin pretenderlo, los polis les han remembrado a todos que siguen teniendo algo pendiente allá arriba y que, quiéranlo o no, siguen conectados a la sima. Estoy seguro que cuando se aclare este crimen volverán las peticiones de excavación de las asociaciones de la memoria histórica. Gentes extrañas, furgones policiales, jueces, forenses, bomberos, periodistas y fisgones, volverán a subir hacia Legarrea. Algunos medios de comunicación descubrirán un impactante filón de audiencia, y los más insidiosos relacionarán la historia con la perfidia atávica de los vascos, capaces de cualquier cosa, como bien saben los españoles. Hasta se habla de una próxima película.

Los gazteluarras no se merecen eso. Ellos también tienen algo que decir, ahora que se van a cumplir 80 años de los hechos. Seguir callados solo sirve para engrosar el morbo y, lo peor, alargar la injusticia sobre los Sagardía Goñi. Hay que ayudarles a cerrar la herida, aunque resulte doloroso e intruso. Han pasado ya 30 años desde que descubrimos someramente el caso. También aquello fue una injerencia, lo sé, pero lo mismo hicimos en todo Navarra y el efecto fue balsámico, liberador. Entonces aprendimos que el silencio era el mecanismo más eficaz de trasmisión del dolor; poner voz y palabras a la historia supuso la mejor terapia. ¿Por qué no iba a ser aquí lo mismo?

Mis dudas se disipan. Instalo el ordenador en la habitación que quizás antes ocupara Joaquín Ilarregi. Me siento junto a la ventana, mirando a *Arretxea*. Los muetes juegan en la calle, y veo salir a Juana Josefa, hermosa, cargada de ropa hacia el lavadero, mientras el cura don Justo la sigue con la mirada desde *Apezetxea*.

Comienzo a escribir. Como siempre, empezando por el título:

LA SIMA

¿QUÉ FUE DE LA FAMILIA SAGARDÍA?

Gazteluko herriari, bihotzez

FIN

POST SCRIPTUM

EL DÍA 5 DE MAYO DE 2015, la librería Elkar de Pamplona se quedó pequeña en la presentación de este libro y de la demanda de la familia Sagardía Goñi a las instituciones navarras para la intervención en la sima de Legarrea. Previamente, importantes medios de comunicación del País Vasco y España ya habían dedicado largos espacios al tema. La emoción del encuentro de los familiares y la impactante historia de Juana Josefa y sus hijos, llegó a todos los lugares del Estado.

Era de suponer que el descubrimiento de esta historia por los grandes medios iba a acarrear nuevas noticias sobre el mismo, ocultas por el tabú, los años y la dispersión de los afectados. A la espera de nuevas aportaciones que nos ayuden algún día a completar las lagunas de este relato, no podemos resistirnos, en esta nueva edición del libro, a añadir este epílogo de urgencia que añade nuevas claves y líneas de investigación.

Desde Sevilla, un investigador de la historia militar española nos informó que José Martín Sagardia Goñi, el hermano mayor de la familia que acabó en la División Azul, era uno de los escasos sobrevivientes del batallón Roman, que fue prácticamente aniquilado en julio de 1941 en los páramos de Rusia. Así, José Martín se libró de la suerte de sus hermanos en la sima, de caer como requeté en la guerra civil, y del desastre de su batallón en Leningrado. Sin duda, un superviviente.

Desde Doneztebe nos trajeron el testimonio de Domi Zugarramurdi Zozaya, de 97 años, que siempre ha sostenido que la muerte en 1942 de Pedro Antonio Sagardía, el padre de la familia, a los 52 años y en mitad del proceso judicial, no tuvo nada de natural, y se dijo que había sido envenenado.

Beñardo Urroz, el *jauna* de *Harritxuria*, había vivido en el caserío *Sanjulur*, y me corrigió el lugar donde la familia se había fabricado la txabola de ramas tras la expulsión del pueblo. Él afirma, y tendrá razón, que fue cerca de su caserío, a una distancia de la sima casi tres veces mayor, lo que hace todavía más dramática la subida de la familia hacia el calvario.

Más impactante todavía fue el relato de la nieta mayor de Petra Goñi, María Asun Losada, a la que no pudimos conocer antes de la aparición del libro. Era hija de María Teresa Zozaya y de Juan Bautista Losada Loinaz, un miembro del PNV que se libró por poco del paredón en la guerra civil. Cuando Franco visitaba Donostia, lo detenían y encerraban en la cárcel de Martutene durante su estancia. Para eludir volver a ser detenido, en las regatas de la Concha de septiembre de 1947 decidió pasar a la parte francesa unos días. Lo mataron a tiros en el Bidasoa. Su hija María Asun tenía 15 meses.

María Asun se crió con su madre viuda y con sus abuelos, y guarda sorprendentes recuerdos de la abuela Petra, que pueden ayudar a entender un poco más esta increíble historia. Lo primero, la biografía de Andresa, la madre de Petra y Juana Josefa. Tuvo cuatro hijos, pero uno murió de pulmonía y a otra la mató un rayo a los 18 años, entre Donamaria y Doneztebe. Andresa creía en los dioses antiguos, hacía sortilegios y no acudía a la iglesia. El cura de Donamaria llegó a ofrecerle dinero para que fuera a misa. Su hija mayor, Petra, siguió las mismas creencias. *Sorginkeriak*, le dicen en euskera. Brujería. María Asun recuerda perfectamente que su abuela Petra, para evitar que su marido, se fuera con otras mujeres: «Preparaba las brasas en el fuego, cogía una tijera abierta, recubría las cuatro partes con cinta de algodón y la echaba a las brasas. Luego esparcía sal y decía una jaculatoria en vasco. Repetía la operación varias veces y sorprendentemente la tijera no se quemaba».

Petra se casó con Ramón Zozaya cuando ya tenían una hija de dos años y estando embarazada del segundo hijo. Como su madre, no iba nunca a misa y tuvo que bautizar a su primera hija, concebida en el pecado, de madrugada y con mantón negro en lugar de blanco, como prueba de impureza. Recordemos que también Juana Josefa se casó embarazada con Pedro Antonio Sagardia.

Es decir, nos encontramos con una familia desapegada de la moralidad y de la religiosidad imperante. Ese mismo desapego se observa hoy día en las hijas de Petra, que me han confirmado esa querencia de la madre a "las antiguas creencias de los vascos". ¿Cómo no pensar que Juana Josefa participaba de las mismas creencias que su madre y hermana mayor?

Al descubrir, tardíamente para los lectores de la primera edición de este libro, esta nueva línea de interpretación de lo acaecido, me quedé perplejo. Habíamos dado por bueno lo de los pequeños robos de una familia necesitada, única acusación que aparecía en el sumario; habíamos añadido la lujuria desatada por una joven y bella mujer como otro de los detonantes de los hechos; sumamos a ello la locura represiva de la guerra civil, las posibles envidias, el cuñado preso por republicano e incluso el efecto maléfico del alcohol y el plenilunio, como posible monto de razones que explicaran de alguna manera lo inexplicable. Pero nunca pensamos que tendríamos que añadir la brujería a la lista de acusaciones. Eso ayuda a entender la actitud del cura párroco. "La echó el cura por sorguiña, y porque decían que era fulana" me corroboró más tarde Clara, la abuela de *Argingaraia etxea*. Andresa Sagardía, su hija Petra, y su malograda hermana Juana Josefa, podrían ser las continuadoras de las dos mujeres de Gaztelu que en 1610 fueron acusadas de brujas por los inquisidores. Cuatro siglos más tarde Barandiarán y Satrústegui anduvieron por esos valles recogiendo esas prácticas, todavía vigentes. Hoy día siguen existiendo sorguiñas, curanderas y santeras. Hace 80 años, en pleno inicio del nacionalcatolicismo, en un lugar perdido y arcaico del País del Bidasoa, unas mujeres se salían del molde oficial. ¿Fue Juana Josefa la última "bruja" vasca ajusticiada? Parece algo irracional, pero, ¿acaso hay algo racional en toda esta historia?

HUESO

Óscar Hahn

Curiosa es la persistencia del hueso
su obstinación en luchar contra el polvo
su resistencia a convertirse en ceniza

La carne es pusilánime
recurre al bisturí a ungüentos y a otras máscaras
que tan sólo maquillan el rostro de la muerte

Tarde o temprano será polvo la carne
castillo de cenizas barridas por el viento

Un día la picota que excava la tierra
choca con algo duro: no es roca ni diamante

es una tibia un fémur unas cuantas costillas
una mandíbula que alguna vez habló
y ahora vuelve a hablar

Todos los huesos hablan penan acusan
alzan torres contra el olvido
trincheras de blancura que brillan en la noche

El hueso es un héroe de la resistencia

EPÍLOGO A LA CUARTA EDICIÓN

CON LA PUBLICACIÓN DE ESTE LIBRO cayó una nevada de tristeza en el pueblo de Gaztelu. Comenzaba un proceso de asunción para el que muchos no estaban preparados. Sé de alguien que enfermó. Algunas mujeres se resistían a creerlo y me espetaron el porqué sugería en el libro que la familia estaba en la sima. Era mucho aventurar, decían, y que en California habían aparecido unos Sagardía. Tal vez...

En el 79 aniversario de los hechos, hicimos el primer homenaje en Legarrea. Algunos vecinos, pocos todavía, asistieron al acto, pero cuando Asunción Oteiza, la *etxandra* de Larretoa, me dijo que quería abrazar a los familiares, me dí cuenta de que todos habíamos ganado.

En el 80 aniversario se repitió el homenaje, y para entonces el Gobierno de Navarra había dado los pasos, junto con el Ayuntamiento y asociaciones de la memoria, para intervenir en la sima.

Me consta que muchos en el pueblo todavía abrigaban la esperanza de que los cuerpos no aparecieran; que la familia hubiera rehecho su vida en lejanos lugares; que nada había tenido que ver el pueblo de Gaztelu en esa historia. Pero cuando el 9 de septiembre de 2016 el equipo de forenses y espeleólogos de Aranzadi sacaron los primeros restos humanos, y de niños, todo el mundo tuvo que acatar la realidad: el rumor era verdad, el libro cierto. El tabú se desvanecía.

Todavía hubo que sufrir más: un mes más tarde habían sacado los restos de los seis hijos, pero Juana Josefa seguía sin aparecer. Pasaban las horas y los días, mientras la congoja nos iba arrugando a los presentes: sin la madre todo era más horroroso; ya no habría final feliz. Para unos quedaría la pregunta eterna de qué le habrían hecho a ella si sus hijos, más inocentes aún, aparecían así. Y para otros, de nuevo la maledicencia exculpatoria: «¿Porqué acusar a los del pueblo si ella no está? ¿Y si fuera cierto que no era una buena madre?». Todo eran malos presagios en Legarrea.

El día 9 de octubre, a las tres y media de la tarde, el forense Paco Etxeberria salía de la sima con gesto cansado y apesadumbrado. Mas no era por las muchas horas que llevaba excavando a 50 metros de profundidad.

—La madre no está. Y ya no va estar –dijo, tirando la toalla y salpicando su pesadumbre a los demás.

Algunas comenzaron a llorar, temiendo lo peor.

—Tan solo hemos encontrado este trozo de cráneo de adulto, pero es el que falta en la cabeza de Joaquín.

Entonces, su compañera Lourdes Herrazti acercó el cráneo del hijo mayor donde, efectivamente, había un agujero del mismo tamaño que el que Paco tenía en su mano. Al ir a colocarlo en su sitio vio que no encajaba y exclamó:

—¡Aiba! ¡Es del otro lado! ¡Luego este tiene que ser de Juana Josefa!.

Los lloros y aplausos rompieron la tensión. Juana Josefa estaba donde tenía que estar, junto a sus hijos, donde siempre estuvo en la vida y en la muerte. Simplemente, al ser echada la primera, o la última, su cuerpo cayó en el mismo vértice de derrubios, pero rebotó a distinto plano inclinado que su hijos, a pocos centímetros. Los ochenta años siguientes de vertidos los habían ido separando muchos metros y a punto estuvieron de separarse para siempre, dejando el peor de los recuerdos.

«El hueso es un héroe de la resistencia» nos recuerda el poeta. Y Juana Josefa había resistido. Como suponíamos, en el fondo de Legarrea había mucho más que fosfato de calcio y la visión de aquel diapasón de huesos, de 1, 3, 6, 10, 12, 16 y 38 años, nos trasmitió, como dice John Berger, un extraño sentimiento de paz.

Los análisis del laboratorio no pudieron certificar dos cosas importantes, la causa de la muerte y el embarazo de la madre. El forense Paco Etxeberria nos confirmó que el no poder probar el embarazo no supone afirmar que no lo tuviera. Tras ochenta años y en esas circunstancias, los restos del feto habrían desaparecido, como desaparecieron muchos huesos de los demás, con osamentas mucho más consolidadas. No tenemos porqué poner en duda la afirmación de la hermana de Juan Josefa y la del marido, por escrito al Juzgado, asegurando que estaba de siete meses. Nadie lo desmintió en su momento y no lo vamos a hacer nosotros ahora.

Al año siguiente, el dos de septiembre, tuvo lugar la entrega de los restos a la familia y su entierro en el cementerio de Gaztelu. Todo trascurrió como lo habíamos soñado: el vecindario de Gaztelu y Donamaria se volcó y hubo quienes hasta ofrecieron sus panteones; se hermanaron vecinos y familiares; los artistas ofrecieron sus esculturas; las instituciones estuvieron a la altura de su pueblo. Camino del cementerio, cuando la comitiva con las siete cajas paró frente a Arretxea y la alcaldesa bajó la bandera del Ayuntamiento, nunca estuve tan seguro de la fuerza agitadora de los libros, editados en su lugar y en su tiempo.

Una última reflexión sobre los posibles motivos de un crimen tan extraño. Casi tres años después de rasgado el silencio, y con la nueva actitud de los habitantes de la comarca, sería de esperar nuevos descubrimientos orales o documentales que disiparan las dudas que sembramos desde la primera edición.

Poco más hemos podido obtener de los vecinos, pues los que hasta ahora han hablado insisten, y les creo, que en casa nunca escucharon detalles. Ni siquiera las octogenarias monjas de clausura del convento de Donamaria, a las que dí una charla entrañable sobre el tema, habían oído nunca nada, y eso que conocían a fondo el alma de la zona. Y no creo que cometieran el pecado de no decirme la verdad.

Como novedad, la historiadora guipuzcoana Rocío Ortiz ha seguido el hilo de la llave de la casa, tan buscada en el sumario, y la propiedad posterior de la casa de la familia. Resulta sospechoso que Asunción Larraburu, hermana de Martín Larraburu, uno de los que hacían guardia aquella noche y señalada por varios vecinos como una de las mayores instigadoras, (*makurrena, arras gaiztoa...*) acabase de copropietaria de Arretxea. La codicia pues, pudo ser otro de los móviles, pero tampoco llega a explicar tamaño disparate.

Algún otro historiador de la zona ha hecho hincapié, con escasos indicios y demasiadas suposiciones, en el carácter de «izquierdista-ugetista-espía-activo» del marido, para deducir el carácter político de los crímenes, algo que nosotros nunca hemos negado: sin el bando de guerra de Mola nada hubiera ocurrido. Lo que no explica esa versión es por qué dejaron en libertad, en una vorágine de fusilamientos, a tan «destacado izquierdista» y asesinaron a toda su familia, algo insólito en todo el Estado. Es necesario pues, buscar más motivaciones.

Esas otras posibles motivaciones, que en la nueva España triunfante hacían indeseable a la familia, parecen abarcar ya los siete pecados capitales, pero ninguna en particular, ni todas a la vez, convencen de lo sucedido. Y por eso vuelvo a llamar la atención en una peculiaridad de la familia, incómoda para los historiadores racionalistas, pero que debe sumarse a la relación de «cargos» en aquel juicio sumarísimo: la *sorginkeria*, brujería, paganismo, curandería o como queramos llamarle.

La primera vez que hablé de esto en público fue en Euskadi Irratia y tenía al otro lado del micrófono a un biznieto de Petra Goñi, la hermana de Juana Josefa. Al principio él mismo me desautorizó, restando importancia a mi hipótesis. Pero al rato, me llamó la atención la cantidad de detalles que sabía de su bisabuela. Al preguntarle por ello me respondió algo que debió dejar boquiabiertos a todos los radioyentes:

—Es que mi bisabuela vivió muchos años. Ella decía que era porque le había picado una víbora.

—¿Una víbora? Pero... ¡eso es *sorginkeria*! –le dije.

—Bueno, la verdad es que a mí en casa siempre me han curado con amapolas. Todas mis tías tienen algo de eso.

En estas historias familiares, que han ido saliendo con posterioridad, puede estar otra de las sinrazones. Siguiendo al estela de su madre, Petra siguió hasta el final de sus días haciendo conjuros, adivinando desgracias, curando animales y personas («y la pleura del tío Ramón»), echando agua por la ventana cada vez que derramaba sal, haciendo ungüentos de *ezpamobelarra*, atenta al sol y la luna, siempre cerca de su huerta y lejos de la iglesia.

Que Juana Josefa fuera como su madre y hermana puede ser una suposición, pero tiene su lógica y son cosas que se trasmitían vía matriarcal. Y si, como el resto de las «motivaciones», esta tampoco fue determinante, no hay duda de que tampoco ayudó en nada a la familia, en aquel momento de totalitarismo ideológico, en que toda diferencia era pecado y delito.

Lo único que parece seguro es que Juana Josefa, la atractiva etxekoandre de Arretxea, era una mujer singular y le hicieron pagar por ello.

(Leído en el homenaje)

¡Salve Juana Josefa!
Llena fuiste de gracia, maculado tu nombre, plena de desgracia.

Nosotras estamos hoy contigo
ya que el Señor no lo estuvo en su momento:
Ni el Señor párroco, ni el Señor Guardia Civil, ni el Señor alcalde, ni el Señor juez, ni el Señor de la casa de la que te echaron.

Maldita te nombraron entre todas las mujeres
y malditos los frutos de tu viente: Joaquín, Antonio, Pedro Julián, Martina, José y Asunción, que te acompañaron, gimiendo y llorando, por este valle de lágrimas, hasta este lugar.

A ti llamamos los desterrados, hijos de esta tierra, de la que no somos dueños, y que como tú la soñamos diferente, libre de prejuicios, de caciques, de leyes injustas, de creencias impuestas.

A ti clamamos, como víctima que fuiste de todo cuanto repudiamos.

A ti suspiramos, madre y mártir, por un mundo en el que ninguna mujer, sea condenada como tú, al oprobio, al abuso y a la muerte, por ser bella, por ser libre, por ser pobre, por ser sorgina, por ser ella misma.

Y después de este destierro al que te hemos sometido, muéstranos el fruto de tu memoria, para que no olvidemos que el demonio totalitario sigue vivo entre nosotros, haciéndonos caer en la tentación del abandono, de la falta de compromiso, de la cobarde sumisión.

Ruega por las mujeres luchadoras, por los hombres entregados, por los presos y los perseguidos que tienen hambre de paz y de justicia.

Ruega por nosotros, pecadores cuando dejamos trechos entre nuestras palabras y nuestros hechos.

Ruega por nosotros, los soñadores

Ahora y hasta la hora de nuestra muerte.

Amén.

Donamaria, con su *Jauregia* a la entrada.

Gaztelu, visto desde las cercanías de la sima.

Iglesia, frontón y plaza de Gaztelu.

Ostatu y antiguo Herriko Etxea.

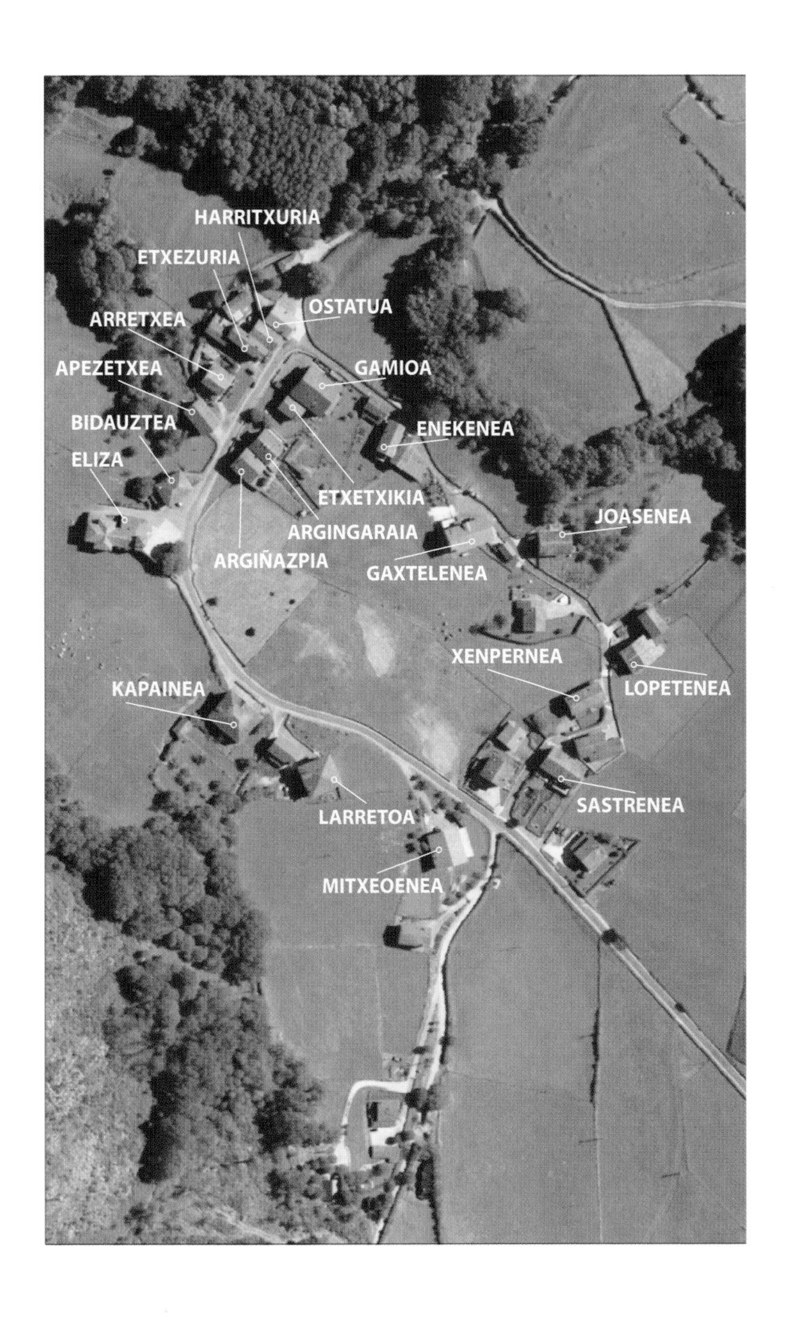

Gaztelu y sus casas en los años 30.

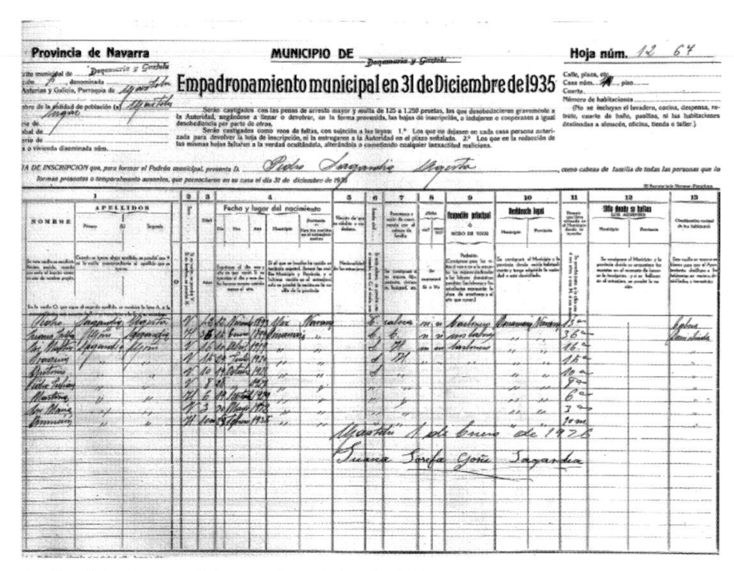

Provincia de Navarra — **MUNICIPIO DE** Donamaria y Gaztelu — **Hoja núm.** 12 67

Empadronamiento municipal en 31 de Diciembre de 1935

Serán castigados con las penas de arresto mayor y multa de 125 a 1.250 pesetas, los que desobedecieren gravemente a la Autoridad, negándose a llenar o devolver, en la forma prevenida, las hojas de inscripción, o indujeren o cooperasen a igual desobediencia por parte de otros.

Serán castigados como reos de faltas, con sujeción a las leyes: 1.º Los que no dejasen en cada casa persona autorizada para devolver la hoja de inscripción, ni la entregaren a la Autoridad en el plazo señalado. 2.º Los que en la redacción de las mismas hojas faltaren a la verdad ocultándola, alterándola o cometiendo cualquier inexactitud maliciosa.

Calle, plaza, etc.
Casa núm. ... piso ...
Cuarto ...
Número de habitaciones ...
(No se incluyan el lavadero, cocina, despensa, retrete, cuarto de baño, pasillos, ni las habitaciones destinadas a almacén, oficina, tienda o taller.)

...IA DE INSCRIPCION que, para formar el Padrón municipal, presenta D. Pedro Sagardía Mayorta, como cabeza de familia de todas las personas que lo forman presentes o temporalmente ausentes, que pernoctaron en su casa el día 31 de diciembre de 1935

1 NOMBRE	APELLIDOS Primero	APELLIDOS Segundo	2 Sexo	3 Edad	4 Fecha y lugar del nacimiento	5	6	7	8	9 Ocupación principal o modo de vivir	10 Residencia legal	11	12 Sitio donde se hallan los ausentes	13
Pedro	Sagardía	Mayorta	V	42	1893		C	cabeza		Labrador	Donamaria Navarra	15 a		
Juana Josefa	Goñi	Sagardía	H	36	enero 1899 Donamaria		C			sus labores		36 a		
	Sagardía	Goñi	V	16	1919		S	H		Labrador		16 a		
			V	15	1920		S	H				15 a		
			V	10	octubre 1925		S					10 a		
Pedro Julián			V	8	1927							8 a		
Martina			H	6	1929							6 a		
			V	3	30 mayo 1932							3 a		
			H		1935									

Mugaitu 1 de enero de 1978
Juana Josefa Goñi Sagardía

La familia al completo en el padrón de 1935.

Estado actual de Arretxea, la vivienda de la familia Sagardía Goñi.

Recreación de la familia, en base a la fisonomía de sus familiares, realizada por Martintxo Altzueta.

CAJA 54793

Año 1937

Audiencia Provincial de Pamplona

JUZGADO DE PAMPLONA

NÚMERO DE LA FISCALÍA 388 NÚMERO DE PONENCIA

ROLLO correspondiente a la causa núm. 167

389. del rollo.

PONENTE Sr.

CONTRA

Melchor Alzugaray Gamio, José Mª Sarratea Arregui, José Agustín Gragirena Urroz, Bautista Oteiza Graciarena, Vicente Micheo Ochandorena, José Azcona Larrainzar, Juan Nicolás Micheltorena Sagardía, José Manuel Ciganda Iarrea, Joaquín Ilarregui Gamio, Pedro Lazcano Picabea y José Antonio Erasun Ochandorena. Todos mayores de edad † en 12 julio 1941. y vecinos de Gaztelu - En prisión desde el 3 al 7 de Junio de 1940.

SOBRE

Incendio y coacciones

Secretaría de Sala a cargo del Ldo D.

Núm. de orden 142

Comenzó el sumario en 4 de Agosto de 1937

Terminó en 25 de Junio de 1940.

Inicio de la Causa 167/1937.

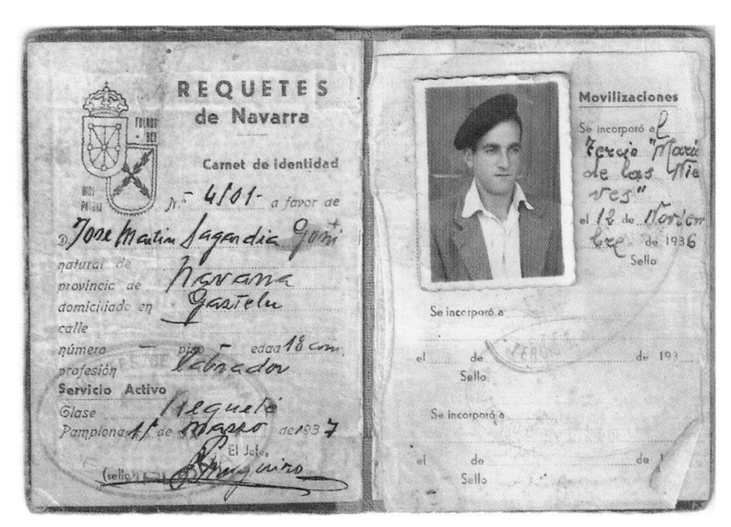

REQUETES
de Navarra

Carnet de identidad

N.º 4101 a favor de
D. Jose Martin Sagardia Goñi
natural de
provincia de Navarra
domiciliado en Gaztelu
calle
número — piso — edad 18 años
profesión labrador
Servicio Activo
Clase Requeté
Pamplona 11 de Marzo de 1937
El Jefe,
(sello)

Movilizaciones
Se incorporó al Tercio "María de las Nieves"
el 12 de Noviembre de 1936
Sello

Se incorporó a
el de de 193
Sello

Se incorporó a
el de de
Sello

Carnet de requeté de José Martín Sagardía Goñi, el hermano mayor de la familia.

Foto de mayor de Petra Goñi Sagardía, hermana de Juana Josefa, junto a su esposo Ramón Zozaya. Preso este en 1936 y desterrada la familia del pueblo, fijaron su residencia en Donostia.

El pueblo de Donamaría y Gaztelu hacia 1940, tras un partido de pelota.
En la foto adjunta, el sacerdote Justo Ariztia.

Tina y Asun Zozaya Goñi, hijas de los anteriores y primas carnales de los niños desaparecidos. Dicen que Tina era la que más se parecía a su tía Juana Josefa.

Petra Goñi Sagardía, hermana de Juana Josefa, con su esposo Ramón Zozaya. Este estuvo preso y el matrimonio tuvo que abandonar el pueblo. Petra creía en la religión antigua de los vascos, y hacía embrujos o "sorginkeriak"..

General Antonio Sagardía.

Agachado a la izquierda, José Martín Sagardía, con sus compañeros de la 5º compañía, en la División Azul.

Columna Sagardía en Tafalla.

General Antonio Sagardía.

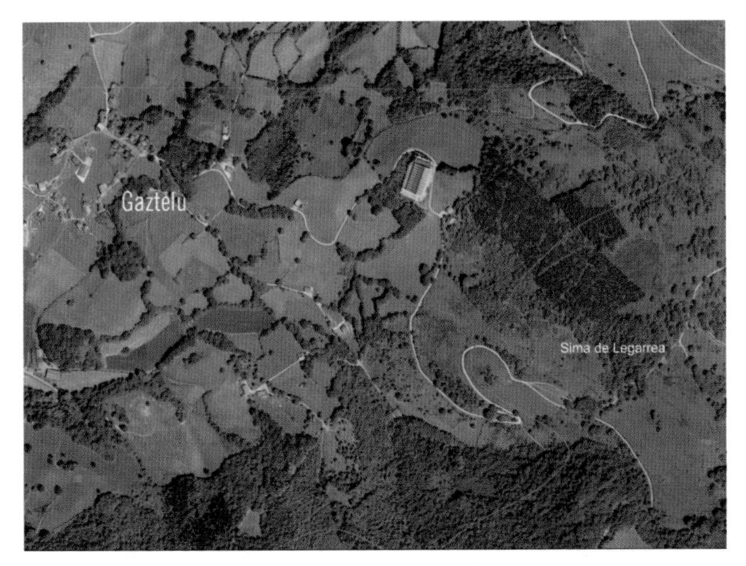

Vista de Gaztelu y de la sima.

Sima de Legarrea. Al lado, el forense Paco Etxeberria.

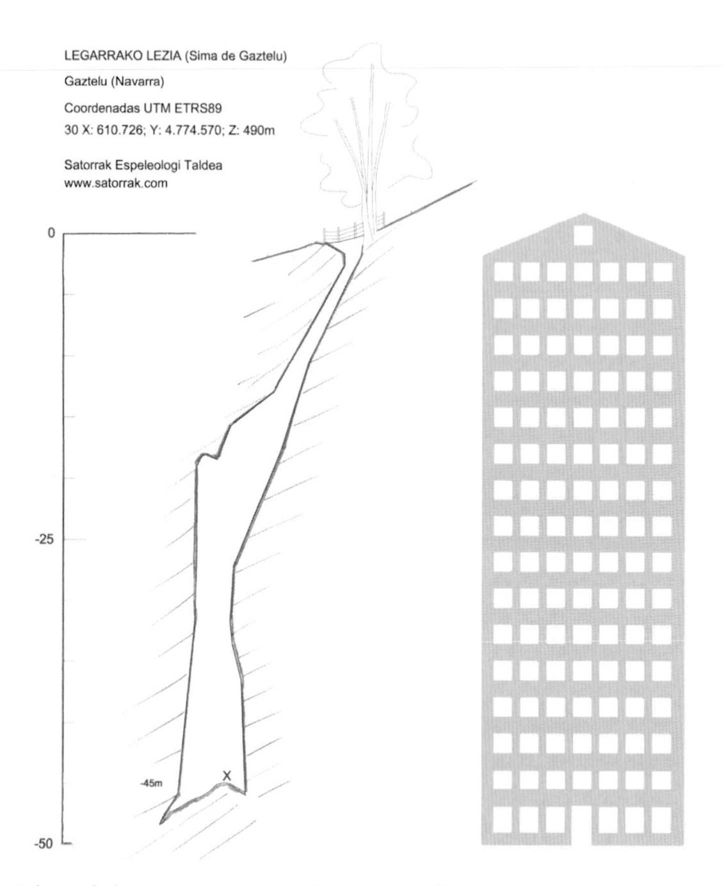

Dibujo de la sima, y comparación con un edificio de 15 pisos.

"Tú eres la luz que nos ha guiado, sigue haciéndolo desde el cielo. Te queremos"

EL JOVEN

Iñaki Indart Ariztegui

falleció en Legasa, después de recibir los Santos Sacramentos y la Bendición Apostólica de Su Santidad.

DESCANSE EN PAZ

Sus padres: José Antonio e Isabel; hermana: Beatriz; tíos: Ignacio (†), Pantxito y Micaela, Mary Cruz (†) y Miguel, Martintxo (†), Ana Mari y Miguel, Milagros y Agustín y Esther, Begoña, Josetxo y Luci, Marita y Daniel; primos y demás familiares; amigos y compañeros de trabajo: Joaquín, Toni, Gregorio, Bautista, Felipe, Joaquín, Kotte y Nasco

Invitan a los funerales que se celebrarán MAÑANA SABADO, día 11, a las CINCO de la tarde en la iglesia parroquial Santa Catalina de Legasa, por cuya asistencia les quedarán muy agradecidos.

La conducción al cementerio se verificará a continuación de los funerales.

El traslado a Legasa se realizará el JUEVES, día 9. La familia recibe en el domicilio particular (Grupo Irache 948197070).

Domicilio: Casa Peruneberri.

LEGASA, 10 DE ABRIL DE 2015

Dibujo de la bajada a la sima en 1945, que consta en el sumario.

Carteles colocados en la boca de la sima y en los alrededores. La sima, un vertedero.

Las hijas de Petra Goñi Sagardía.

Fondo de la sima

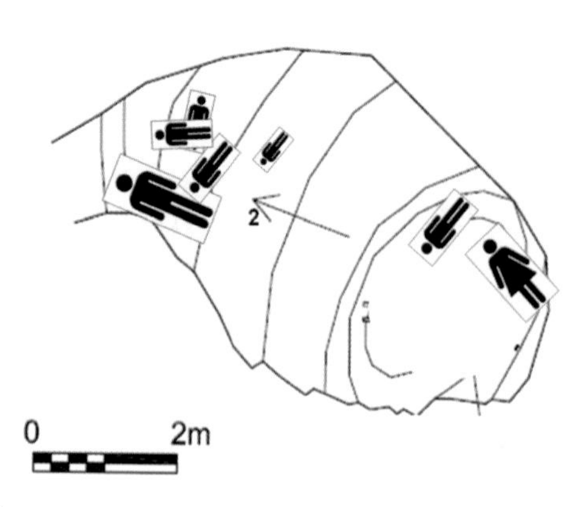

Situación y desplazamiento de los cuerpos en el fondo de la sima.

Sagardía-Pedroarena.

Gloria Pedroarena, esposa de José Martín Sagardía Goñi, fallecido en Iruñea en 2007.

Los miembros de Aranzadi trabajando en el fondo de la sima.

La familia se reúne ante todos los restos obtenidos por Aranzadi.

El dos de septiembre de 2017 el Gobierno de Navarra hacía entrega de los restos a la familia. El pueblo de Gaztelu y el de Donamaría se volcaron en el acto.

Piedras y arte para recordar a la familia en Legarrea y en el cementerio de Gaztelu.

CRONOLOGÍA

2.I.1919	Boda de Pedro Antonio Sagardía y Juana Josefa Goñi.
16.II.1936	Elecciones. El Frente Popular no obtiene un solo voto en Donamaria y Gaztelu.
19.VII.1936	Golpe militar en Navarra.
23.VII.1936	Detienen a Pío Baroja.
13-14.VIII.1936	Reunión en la que deciden expusar a la familia.
14-16.VIII.1936	Sin dejarle ver a su familia, la Guardia Civil mete a Pedro Sagardía en la cárcel de Doneztebe.
30.VIII.1936	Queman la txabola y desaparece la familia.
X.1936	Pedro Sagardía se alista al Requeté.
2.VIII.1937	Pedro Sagardía denuncia ante el Juzgado la desaparición de su familia.
4.VIII.1937	Comienza la causa 167.
11.VIII.1937	Primeras declaraciones de vecinos.
16.VIII.1937	La Guardia Civil interroga a Pedro Sagardía.
8.IX.1937	Declaran en el Juzgado vecinos y vecinas de los pueblos cercanos.

13.IX.1937 Pedro Sagardía aporta nuevos datos y dice que han echado a su familia a la sima.

21.IX.1937 Primera inspección ocular de la sima

29.IX.1937 El Cuerpo Nacional de Ingenieros emite un informe para bajar a la sima.

17.X.1937 Primer informe de la Guardia Civil.

4.XII.1937 Pedro Sagardía solicita que se reconozca la sima.

27.XII.1937 El juez emite un auto ordenando prescindir de la bajada a la sima.

21.II.1938 Nuevas declaraciones, entre ellas la del párroco.

30.III.1938 El juez da por concluido el sumario, pero no encuentran a Pedro Sagardía para comunicárselo.

IV.1938 Matanzas del general Sagardía en el Pallars Sobirá.

23.VI.1938 Se ahorca Agustín Irurita, uno de los encausados.

7.XI.1938 Pedro Sagardía reaparece.

13.I.1939 A petición de la acusación particular, se devuelve el sumario al juez de instrucción.

3.II.1939 Nueva ronda de declaraciones.

23.V.1939 La acusación particular pide que se aplique el *Bando* de Mola a los que acordaron la expulsión.

27.XII.1939 El juez deniega de nuevo la bajada a la sima, por razones de seguridad.

10.I.1940 Nueva ronda de declaraciones.

26.IV.1940 Comienza la *Causa General sobre la dominación Roja en España.*

22.V.1940 El juez declara el cierre del sumario y la prisión provisional para once vecinos.

2.VI.1940	Los once encausados entran en la cárcel de Pamplona.
6.VI.1940	Los once encausados salen de la cárcel bajo fianza.
4.VIII.1940	Un papel anónimo descubre a los integrantes de la guardia del 30 de agosto de 1936.
28.VIII.1940	El Juzgado revoca, por segunda vez, el auto de terminación del sumario.
14.IX.1940	Comienzan de nuevo las rondas de interrogatorios.
X.1940	El general Sagardía recibe a Himmler en Donostia. El mes siguiente es nombrado primer comandante de la Policía Armada.
27.III.1941	Declaran los partipantes en la guardia, citados siete meses antes por el papel anónimo.
11.VI.1941	Muere electrocutado (o suicidado) José Antonio Eraso, otro de los encausados.
16.VI.1942	Un año más tarde, el juez archiva el caso de la sospechosa muerte de Eraso.
23.IX.1942	El juez da por terminado el sumario 167.
14.XI.1942	Por tercera vez, la acusación paricular consigue revocar el auto de terminación del sumario, alegando que se debe inspeccionar la sima.
2.XII.1942	A los 52 años muere Pedro Antonio Sagardía, pero la causa 167 sigue adelante.
23.III.1943	A los 45 años muere Martín Larraburu, otro de los sospechosos.
6.X.1945	Se inspecciona, durante 10 minutos, el fondo de la sima.
24.X.1945	La Guardia Civil informa sobre los troncos encontrados en el fondo.

25.X.1945	El abogado se entera de la muerte de su defendido, Pedro Sagardía, ocurrida casi tres años atrás.
14.XI.1945	Inspección en el cementerio de Gaztelu.
13.XII.1945	El juez ordena embargar los bienes de los procesados.
31.I.1946	El juez declara terminado el sumario.
18.III.1946	Casi diez años después de los hechos, la Audiencia de Navarra emite un auto de sobreseimiento de la causa 167.
15.I.1962	Muere el general Sagardía.
13.I.1975	Muere Teodora Larraburu.
IX.1986	Se edita el libro *Navarra 1936. De la Esperanza al Terror.*
5.X.1986	Muere Petra Goñi.
14.IV.2007	Muere José Martín Sagardía Goñi.
9.III.2008	Desaparece el joven Iñaki Indart.
6.X.2009	El presidente del Tribunal Superior de Justicia autoriza a Altaffaylla la consulta del sumario 167/1937.
22.XII.2014	Aparecen en la sima los restos de Iñaki Indart.
14.IV.2014	Se edita este libro.
9.IX.2016	Hallan los primeros restos en la sima.
2.IX.2017	Se entierran los restos en el cementerio de Gaztelu.

NOTAS

1.- Sánchez-Ostiz, Miguel: *Zarabanda*. Pamiela. Pamplona-Iruñea, 2011.

2.- *Munibe. Antropologia-Arkeologia*, nº 65. Aranzadi. Donostia, 2014.

3.- Datos reales: Datum, WGS 84, 30T. Coordenadas: X 610726; Y 4774570.

4.- Pepe Rei, Edurne San Martín: *Egin investigación. Otra forma de periodismo*. Txalaparta. Tafalla, 1998.

5.- *Enciclopedia General Ilustrada del País Vasco*. Auñamendi, 1978. Voz "Donamaria".

6.- AMD. Juzgado de Paz. L. 0024. *Matrimonios* nº 4.

7.- Archivo Municipal de Oiz. *Nacimientos* / AMD. *Nacimientos*.

8.- Testimonio de Asunción Zozaya Huici. 88 años. Donostia, 9.III.2015.

9.- Registro Civil de Pamplona. Sección 3ª. Tomo 01010, Página 338.

10.- Archivo Juzgado Donamaría. *Defunciones*. Año 1931, nº 43.

11.- AMD. *Actas 1936-1937*.

12.- AMD. *Elecciones*. Leg. 0094.

13.- *Boletín Oficial Extraordinario de Navarra*, 16.XII.1932.

14.- AMD. *Actas 1936-1937*.

15.- *¡¡Trabajadores!!* 31.II.1933

16.- *Navarra 1936. De la Esperanza al Terror*. Altaffaylla, 1986.

17.- AMD. *Elecciones*. Leg. 0094.

18.- *Auñamendi*. Op. cit.

19.- AMD. Actas 16.I.1934

20.- Lizarza, Antonio: *Memorias de la Conspiración* (1931-1936). Madrid, 1986.

21.- *Auñamendi*. Op. cit.

22.- AMD. Actas 30.VIII.1936.

23.- Ibídem. 7.XI.1936.

24.- AMD. Actas 6.I.1937.

25.- AGN. Juzgado de instrucción de Pamplona. Causa 167-1937.

26.- Murió en Eskoriatza el 31.III.1937. AMD. Juzgado de Paz L. 0026. *Defunciones* nº 8.

27.- AGN. Juzgado de Instrucción de Pamplona. Causa 167/1937.

28.- Ibídem.

29.- AGN. Juzgado de Instrucción de Pamplona. Causa 167/1937. Declaraciones del 11.VIII.1937 y 14.IX.1940.

30.- Archivo Juzgado Donamaría. Leg. 0015/2.1.

31.- Testimonio de Nati Zozaya Goñi. 83 años. Donostia, 11.III.2015.

32.- AGN. Juzgado de Instrucción de Pamplona. Causa 167/1937.

33.- Ibídem.

34.- Gimeno, Manuel. *Revolució, guerra i represió al Pallars (1936-1939)*. Publicacions de l' Abadia de Monserrat, 1989.

35.- Archivo Juzgado Donamaría. Defunciones, L. 0026. En el libro *Caídos por Dios y por España* (Editorial Gómez. Pamplona, 1951) se dice erróneamente que murió el 19.VI.1936.

36.- En la calle Guetaria 12-5º-D.

37.- Testimonio de Asunción y Nati Zozaya Huici. Donostia, 9.III.2015.

38.- *Diario de Navarra*, 24.XII.1928.

39.- *ABC*. Sevilla. 29.XII.1986. Firmaba Félix Zubizarreta Goñi.

40.- Gil Bera, Eduardo, *Baroja o el miedo*. Península, Barcelona 2001.

41.- *Navarra 1936*... Op. cit. pp. 713.

42.- Archivo Euskal Memoria. *Auditoría de Guerra de Bilbao*. Procedimiento sumarísimo 12.742-41.

43.- AGN. Juzgado de Instrucción de Pamplona. Causa 167/1937.

44.- Ibídem.

45.- Badiola, Elixabet: *Glicinia rota*, p. 95. Autoedición. 2014.

46.- AGN. Audiencia Provincial de Pamplona. Año 1937. Nº de fiscalía 388.

47.- AGN. Juzgado de Instrucción de Pamplona. Causa 167/1937.

48.- Ibídem.

49.- Archivo Juzgado Donamaría: *Juicios Verbales y de Faltas*, Leg. 0005, 3.11.

50.- AMD. *Correspondencia* 1936-1939.

51.- Elixabet Badiola, op.cit.

52.- Testimonio de Asunción Zozaya Huici. Donostia, 9.III.2015.

53.- *Navarra 1936*... Op. cit., p. 52.

54.- AGN. Fondo García Larrache, carta 25.IX.1946.

55.- AGN. Juzgado de Instrucción de Pamplona. Causa 167/1937.

56.- Ibídem, 17.V.1940.

57.- *Diario de Navarra*, 19.VII.1936.

58.- AGN. Causa 167. 17.V.1940.

59.- Ibídem.

60.- Ibídem.

61.- AMD. Juzgado de Paz, L. 0026. *Defunciones* nº 8.

62.- AGN. Caja 121008 / 8. Sumario 263/1941.

63.- Ibídem.

64.- Archivo Juzgado Donamaría. *Correspondencia*. 12.II.1943.

65.- Archivo Juzgado Donamaría, L. 4.

66.- Ibídem.

67.- Registro Civil de Pamplona. Sección III. Libro 220; folio 701; nº 1007.

68.- Registro Civil de Irún. Nº 46, folio 294.

69.- AGN. Juzgado de Instrucción de Pamplona. Causa 167/1937.

70.- Ibídem, 25.X.1942.

71.- *Boletín Oficial de la Provincia de Navarra*, 15.I.1946.

72.- AGN. Audiencia Provincial de Pamplona, año 1937. Caja 54793.

73.- Testimonio de Gloria Pedroarena, 86 años. Pamplona, 15.III.2015.

74.- Juzgado de Paz. L. 0015. C. Nº 5.

75.- *ABC*, 23.XII.1994.

76.- *Munibe. Antropologia-Arkeologia*, nº 65. Aranzadi. Donostia, 2014.

ÍNDICE

Esta cuarta edición del libro,
LA SIMA
¿QUÉ FUE DE LA FAMILIA SAGARDÍA?
se terminó de diseñar, componer y maquetar en Bilbao,
en el taller gráfico de MONTI DISEINU GRAFIKOA
el 29 de enero de 2018,
utilizándose para ello la familia tipográfica Celeste
creada digitalmente por Chris Burke en 1990.